六韜·三略

第二冊

〔西周〕太公望
〔漢〕黃石公 著
崇賢書院 釋譯

北京聯合出版公司

畫則登雲梯遠望立五色旌旗以變敵人之目遇夜則設雲火萬炬擊雷鼓振鼙鐸吹鳴笳以變敵人之耳即孫子畫戰多旌旗夜戰多火鼓之意

軍略第三十五

【原文】武王問太公曰：「引兵深入諸侯之地，遇深溪、大谷、險阻之水，吾三軍未得畢濟，而天暴雨，流水大至，後不得屬於前，無有舟梁之備，又無水草①之資，吾欲必濟，使三軍不稽留，爲之奈何？」

【注釋】①水草：這裏指堵水用的草捆。

【譯文】武王問太公說：「率領軍隊深入敵國境內，遇到深溪、大谷和難以渡過的河流，我軍尚未全部渡過，忽然下起了暴雨，洪水大量涌來，水位大漲，軍隊被阻斷，後面的軍隊與前面的軍隊不相連接，既沒有船隻、橋梁，又沒有堵水用的草捆，在這種情況下，我想要使全軍渡過而不至滯留太久，應當怎麼辦呢？」

【原文】太公曰：「凡帥師將眾，慮不先設，器械不備，教不素信①，士卒不習，若此，不可以爲王者之兵也。凡三軍有大事，莫不習用器械。攻城圍邑，則有轒轀②、臨衝③；視城中，則有

雲梯、飛樓④；三軍行止，則有武衛、大櫓，前後拒守；絕道遮街，則有材士強弩，衛其兩傍；設營壘，則有天羅、武落⑤、行馬、蒺藜。晝則登雲梯遠望，立五色旌旗；夜則設雲火萬炬，擊雷鼓，振鼙⑥鐸，吹鳴笳⑦；越溝塹，則有飛橋、轉關、轆轤、鉏鋙；濟大水，則有天潢、飛江；逆波上流，則有浮海、絕江⑧。三軍用備，主將何憂！」

【注釋】①信：這裏指切實可用。②轒轀：用於攻城的一種戰車。其形製下設四輪，上蒙生牛皮，中可容十人，往來運土填塹。③臨衝：攻城器械的名稱。臨車是從上視下的車輛，衝車爲衝撞城門的戰車。④飛樓：樓車，用以登高觀察城中敵情的望樓。⑤武落：虎落，繩索和木樁。⑥鼙：軍中使用的一種小鼓。⑦笳：古管樂器名。⑧浮海、絕江：均爲渡河器材。

【譯文】太公回答：「大凡將帥率領軍隊作戰，如果事先不對可能出現的困難謀慮，不事先準備好器械，對士卒的平時訓練不加以落實，

以致士卒技術不熟練，像這樣，就不能算是王者的軍隊。凡是軍隊遇到軍事行動，沒有不訓練士卒熟練使用各種器械的。如果圍攻敵人的城邑，就用轒轀、臨車和衝車等攻城戰車；如果觀察城內的敵情，就使用雲梯和飛樓；軍隊前進和駐紮，就使用武衝、大櫓等戰車在前後掩護，以防不測；斷絕大路，遮隔街道，就讓勇敢而有技術的士卒使用強弩控制兩側；設置營壘，就在周圍佈下天羅、武落、行馬、蒺藜等防禦器材。白天就登上雲梯觀望遠方，按方位豎起五色旌旗報告敵情；夜間就點燃大火堆和成千上萬的火把，擊響雷鼓，敲動鼙鼓，搖動大鐸，吹響鳴笳；越溝塹，就用飛橋、轉關、轆轤、鉏鋙等器械；渡大河，就用天潢、飛江；逆流而行，就用浮海、絕江。全軍所需的這些器材都已齊備，主將又有什麼可擔憂啊！」

臨境第三十六

原文 **武王問太公曰：「吾與敵人臨境相拒，彼可以來，我可以往，陳皆堅固，莫敢先舉。我欲往而襲之，彼亦可來，爲之奈何？」**

太公曰：「分兵三處：令我前軍，深溝增壘而無出①，列旌旗，擊鼙鼓，完爲守備；令我後軍，多積糧食，無使敵人知我意；發我銳士，潛襲其中，擊其不意，攻其無備。敵人不知我情，則止不來矣。」

注釋 ①無出：這裏指不出戰。

譯文 武王問太公說：「我軍與敵軍在國境綫上相互對峙，敵軍可以前來攻打我軍，我軍也可以前去攻打敵軍，雙方的陣勢都很堅固，誰也不敢率先發動進攻。我軍想前去襲擊敵軍，但又擔心敵軍也會來襲擊我軍，應該怎麼辦呢？」

太公回答：「在這種情況下，就把我軍分爲前軍、中軍、突擊隊三部分：令前軍深挖溝壕，高築壁壘，不要出戰，在陣地上佈列旗幟，敲擊鼙鼓，進行守備，做到無懈可擊；令後軍多積糧食，不要讓敵軍得知我軍的意圖；派遣突擊部隊偷襲敵軍中央，擊其不意，攻其無備。敵軍無法瞭解我軍實情，就會按兵不動，不敢前來。」

【原文】**武王曰：「敵人知我之情，通我之謀，動而得我事，其銳士伏於深草，要隘路，擊我便處，爲之奈何？」**

太公曰：「令我前軍，日出挑戰，以勞其意；令我老弱，曳柴揚塵①，鼓呼②而往來；或出其左，或出其右，去敵無過百步，其將必勞，其卒必駭。如此，則敵人不敢來。吾往者不止，或襲其內，或擊其外，三軍疾戰，敵人必敗。」

【注釋】①曳柴揚塵：拖曳柴草奔馳，使塵土飛揚，從而迷惑敵人。曳，拖曳。②鼓呼：擂鼓吶喊。

【譯文】武王問：「如果敵軍已經偵察到我軍的實情，通曉我軍的計謀，我軍每有行動，敵軍就知道我軍要做什麼，因而派出精銳部隊埋伏在深草之中，或在隘路上攔截我軍，或在對他們有利的地方攻擊我軍，此時應該怎麼辦呢？」

太公回答：「命令我軍的前軍，每天出去向敵軍挑戰，借以消磨敵軍的鬥志；命令我軍的老弱士卒拖曳柴草奔馳，揚起塵土，擂鼓吶喊，往來奔跑，以壯聲勢；我軍或在敵人的左方出現，或在敵人的右方出現，與敵人相隔要在百步之外，這樣一定能使敵軍的將領疲於應付，敵軍的士卒震駭恐慌。這樣一來，敵軍就不敢前來攻打我軍了。我軍如此不間斷地襲擾敵軍，或襲擊敵軍的內部，或攻打敵軍的外部，全軍奮力作戰，一定能打敗敵軍。」

動靜第三十七

【原文】**武王問太公曰：「引兵深入諸侯之地，與敵之軍相當，兩陳相望，眾寡強弱相等，未敢先舉。吾欲令敵人將帥恐懼，士卒心傷，行陳不固，後陳欲走，前陳數顧①；鼓噪②而乘之，敵人遂走，爲之奈何？」**

太公曰：「如此者，發我兵去寇十里而伏其兩旁，車騎百里而越其前後，多其旌旗，益其金鼓。戰合，鼓噪而俱起，敵將必恐，其軍驚駭，眾寡不相救，貴賤③不相待④，敵人必敗。」

【注釋】①數顧：屢次回頭看。這裏指軍心動搖。②鼓噪：擊鼓

遇字言必於死絕之地與敵相遇而求一戰

吶喊，指軍隊交鋒時聲張氣勢。③貴賤：這裏的「貴」指高級將士，「賤」指普通士卒。④不相待：指各自逃命，不互相照顧。

譯文 武王問太公說：「率領軍隊深入敵國境內，我軍與敵軍勢均力敵，兩軍對陣，人數的多寡和戰鬥力的強弱相當，誰也不敢率先發動進攻。在這種情況下，我軍想使敵軍將帥恐懼，士兵憂愁，行陣不堅固，後陣士兵想要臨陣脫逃，前陣的士兵屢次回頭，心中動搖；我軍此時擂鼓吶喊，乘勢進攻，迫使敵人敗陣逃走，應該怎麼辦？」

太公回答：「要達到這個目的，就應該派遣一支部隊繞到距敵軍後方十里的地方，在道路兩旁設下埋伏，另外派遣戰車和騎兵在距離敵軍百里的地方，來回運動，時而出現在敵軍前方，時而出現在敵軍後方，並命令部隊多用旌旗，增設金鼓。在雙方戰鬥發起後，擊鼓吶喊，伏兵、車兵、騎兵同時發動進攻，敵軍將帥一定驚恐，士兵一定驚駭，以致各部隊無論人數是多還是少都互不相救，軍中官兵無論是地位高的還是地位低的都互不照顧，敵軍就必然失敗。」

原文 **武王曰：「敵之地勢，不可以伏其兩旁，車騎又無以越其前後，敵知我慮，先施其備，我士卒心傷，將帥恐懼，戰則不勝，爲之奈何？」**

太公曰：「微哉，王之問也！如此者，先戰五日，發我遠候，往視其動靜，審候其來，設伏而待之。必於死地①，與敵相遇，遠我旌旗，疏我行陳②，必奔其前，與敵相當。戰合而走，擊金③而止，三里而還，伏兵乃起，或陷其兩旁，或擊其前後，三軍疾戰④，敵人必走。」

武王曰：「善哉！」

注釋 ①死地：絕境。②疏我行陳：疏散行陣，給敵人造成我軍兵力龐大的錯覺。③金：指銅鉦。擊鉦表示退兵。④疾戰：力戰，死戰。

譯文 武王問：「假如敵軍所處的地勢不便我軍在其兩旁佈置埋伏，我軍的戰兵和騎兵也不能迂迴到敵軍後方，同時敵軍又知曉了我軍的行動計劃，事先做好充分的準備，我軍士兵因此悲觀沮喪，我軍將帥心中懼怕，如果與敵軍交戰，恐怕難以取勝，應該怎麼辦呢？」

太公回答：「您所問的這個問題眞微妙啊！在這種情況下，應當在交戰前五天，先派出斥候在遠方偵察，前往窺探敵軍的動靜，清楚地偵察到敵軍正前來進攻，預先設下埋伏等待敵軍到來。一定要在敵軍難以逃脫的絕境與敵軍相遇，疏散我軍旌旗，拉開行列的距離，一定要使前軍急速前進，與敵人對陣。兩軍剛一交戰就撤退，故意鳴金收兵，後退三里再反身攻擊，這時伏兵乘機進攻，或攻擊敵軍兩側，或攻擊敵軍前後，全軍奮力作戰，敵軍一定戰敗逃走。」

武王說：「您說得眞好！」

金鼓第三十八

原文 **武王問太公曰：「引兵深入諸侯之地，與敵相當，而天大寒甚暑，日夜霖雨①，旬日不止，溝壘悉壞，隘塞不守，斥候懈怠，士卒不戒。敵人夜來，三軍無備，上下惑亂，爲之奈何？」**

太公曰：「凡三軍以戒爲固，以怠爲敗。令我壘上，誰何②不絕，人執旌旗，外內相望，以號相命③，勿令乏音，而皆外向。三千人爲一屯④，誡而約之，各愼其處。敵人若來，視我軍之警誡，至而必還，力盡氣怠，發我銳士，隨而擊之。」

注釋 ①霖雨：連綿大雨。②誰何：軍中盤詰查問時往往先問「誰何」，後以「誰何」借指盤詰查問。③以號相命：通過號令互相聯絡，傳達命令。④屯：聚。這裏指營中臨時指定的守備單位。

譯文 武王問太公說：「率領軍隊深入敵國境內，我軍與敵軍勢均力敵，正好遇上嚴寒或酷暑，或者連天大雨，十天不止，溝壑和營壘全都崩坍損壞，險要的關口、要塞無法守備，偵察哨兵疲憊懈怠，士兵都喪失了應有的戒備。這時，敵人乘夜前來襲擊，全軍都沒有準備，將帥士卒疑惑混亂，對此應該怎麼辦呢？」

太公回答：「凡是軍隊，祇有嚴密戒備纔能堅不可摧，而懈怠疏忽就一定失敗。命令我軍營壘上的哨兵不停地盤詰查問，手持旗幟，與營壘內外聯絡，傳達命令，不要使金鼓之聲斷絕，士卒全部面向敵方。每三千人組成一屯，嚴加告誡和約束，使其在各自守備的地方慎重守備。如果敵人前來攻打，看到我軍警誡森嚴，即使來到我軍陣前也一定會退回，這時敵軍難免力盡氣竭，士氣低落，我軍乘機派遣精鋭部隊在敵軍後方追擊。」

原文 **武王曰：「敵人知我隨之，而伏其鋭士，佯北不止，過伏而還，或擊我前，或擊我後，或薄①我壘。吾三軍大恐，擾亂失次，離其處所，爲之奈何？」**

太公曰：「分爲三隊，隨而追之，勿越其伏，三隊俱至，或擊其前後，或陷其兩旁，明號審令，疾擊而前，敵人必敗。」

注釋 ①薄：逼近、逼迫。這裏指發起進攻。

譯文 武王問：「如果敵軍知曉我軍會跟踪追擊，事先安排精鋭部隊埋伏在要道兩旁，然後假裝敗退不止，當我軍路過敵軍設伏所在時，敵軍就掉轉頭來迎戰，伏兵也同時進攻，有的攻擊我軍的前鋒，有的攻擊我軍的後部，有的進攻我軍營壘。這時全軍大爲驚恐，混亂不堪，行列不整，全都離開自己的位置，在這種情況下應該怎麼辦呢？」

太公回答：「應該把我軍的追軍分成三隊，分頭跟踪追擊敵人，注意不要進入敵人的設伏之地，等三支部隊會齊，再一起進攻，有的攻擊敵人的前方和後方，有的攻擊敵人的兩側，並嚴格申明號令，使士兵奮力作戰，向前進擊，就一定會打敗敵人。」

絕道第三十九

原文 **武王問太公曰：「引兵深入諸侯之地，與敵相守，敵人絕我糧道，又越我前後①。吾欲戰則不可勝，欲守則不可久，爲之奈何？」**

太公曰：「凡深入敵人之地，必察地之形勢，務求便利。依山林、險阻、水泉、林木而爲之固，謹守關梁②；又知城邑、丘

墓地形之利。如是，則我軍堅固，敵人不能絕我糧道，又不能越我前後。」

注釋 ①越我前後：指敵人迂迴到我軍側後，從前後兩面夾擊我軍。②關梁：關口和橋梁。泛指水陸交通必經之處。

譯文 武王問太公說：「率領軍隊深入敵國境內，與敵軍對壘，這時敵軍斷絕了我軍的糧道，並迂迴到我軍後方，從前後兩方夾擊我軍。我想出戰，恐怕難以取勝，我想防守，又不能持久，應該怎麼辦呢？」

太公回答：「凡是深入敵國境內作戰，一定要察明地形和地勢，務必占領有利地形。依托山林、險阻、水泉、林木來構築營壘、陣勢，謹慎、嚴密地守衛關口和橋梁；掌握城邑、丘墓等有利地形。這樣一來，我軍的防守就十分堅固了，敵人既不能截斷我軍糧道，也不能迂迴到我軍後方，從前後兩方夾擊我軍了。」

原文 武王曰：「吾三軍過大林、廣澤、平易之地，吾盟誤失，卒與敵人相薄①，以戰則不勝，以守則不固，敵人翼②我兩旁，越我前後，三軍大恐，爲之奈何？」

太公曰：「凡帥師之法，當先發遠候，去敵二百里，審知敵人所在。地勢不利，則以武衝爲壘而前，又置兩踵軍於後，遠者百里，近者五十里，即有警急，前後相救。吾三軍常完堅，必無毀傷。」

武王曰：「善哉！」

注釋 ①相薄：相逼近。這裏指狹路相逢。②翼：從兩旁包抄。

譯文 武王問：「我軍經過高大的山林、寬闊的沼澤地及平坦無阻的地域時，盟軍誤時未至，倉促之間同敵軍遭遇，我軍想要進攻擔心不能取勝，想要防守又擔心陣地不堅固，這時敵軍從兩旁包抄我軍，迂迴到我軍後方，我軍因此十分恐懼，這應該怎麼辦呢？」

太公回答：「大凡統率軍隊的方法，應當先向遠方派出偵察人員警誡，做到在距離敵軍二百里時，就已經詳細瞭解到敵軍所在的位置。

如果地形對我軍不利，就用武衛結成營壘，向前推進，並安排兩支後續部隊在大部隊之後跟進，一支後續部隊與大部隊之間相隔一百里，另外一支相隔五十里，一旦遇到緊急情況，就前後互相救援。我軍如果能經常保持這種完備而堅固的部署，就一定不會受到損傷。」

武王說：「您說得眞好！」

略地第四十

原文 **武王問太公曰：「戰勝深入，略其地，有大城不可下，其別軍①守險，與我相拒。我欲攻城圍邑，恐其別軍卒至而擊我，中外②相合，擊我表裏，三軍大亂，上下恐駭，爲之奈何？」**

太公曰：「凡攻城圍邑，車騎必遠，屯衛警誡，阻其外內。中人③絕糧，外不得輸，城人恐怖，其將必降。」

注釋 ①別軍：猶偏師，即與主力部隊配合作戰的部隊。②中外：這裏指敵城中的守軍與城外的援軍。③中人：指被圍困在城中的敵軍。

石頭城圖

石頭城在今南京西清涼山上，三國時孫吳就石壁築城戍守，稱石頭城。地勢險峻，自古就有「石城虎踞」之稱。本篇闡述了攻打城邑的作戰方法，若方法得當，戰計精奇，「石城虎踞」也可攻而克之。

城中之人以爲先出者得其徑道而住其練卒材士必從中出其老弱者獨在吾車騎然後深入長驅敵人之軍必莫敢至慎勿與之接戰斷絕其糧道環圍而守之必能久其日矣

譯文 武王問太公說：「我軍乘勝深入敵境，奪取敵國的土地，但是還有大城未能攻克，而敵人有一支部隊在城外固守險要地形，與我軍對抗。我想圍攻城池，又擔心城外的那支部隊突然向我軍發動進攻，敵城中的守軍與城外的援軍裏應外合，對我形成兩面夾擊之勢，以致全軍大亂，官兵恐懼震駭，這應該怎麼辦呢？」

太公回答：「凡是攻城圍邑之時，應把戰車、騎兵駐紮在離城較遠的地方警誡，隔斷城內敵人與外界的聯繫。這樣，被圍困在城內的敵人一定會斷絕糧食，而外面的糧食又無法送進去，城內的軍民就一定會恐慌，守城的敵將一定會投降。」

原文 武王曰：「中人絕糧，外不得輸，陰爲約誓，相與密謀；夜出，窮寇死戰，其車騎銳士，或衝我內，或擊我外，士卒迷惑，三軍敗亂，爲之奈何？」

太公曰：「如此者，當分軍爲三軍，謹視地形而處，審知敵人別軍所在，及其大城別堡①，爲之置遺缺之道②，以利③其心，謹備勿失。敵人恐懼，不入山林，即歸大邑。走④其別軍，車騎遠要其前，勿令遺脫。中人以爲先出者得其徑道，其練卒⑤材士必出，其老弱獨在。車騎深入長驅，敵人之軍，必莫敢至。慎勿與戰，絕其糧道，圍而守之，必久其日。無燔人積聚，無壞人宮室，冢樹⑥社叢⑦勿伐，降者勿殺，得而勿戮，示之以仁義，施之以厚德，令其士民曰：『罪在一人⑧。』如此，則天下和服。」

武王曰：「善哉！」

注釋 ①大城別堡：指圍城附近的敵國大城市和堡壘。②遺缺之道：沒有封鎖的通道，即故意給敵軍留出的逃跑的缺口。③利：這裏是引誘的意思。④走：趕走。⑤練卒：精兵。⑥冢樹：墳地的樹木。⑦社叢：社神廟旁的樹林。社，古代祭祀神靈的場所。⑧罪在一人：指所有的罪惡均在敵國君主一人身上。

譯文 武王問：「城內敵軍斷糧，城外糧食又無法送進來，這時敵人內外暗中互相聯繫，密謀向外突圍；乘着黑夜出城，拼命死戰，敵人的車兵、騎兵、精銳戰士一起出動，有的突擊我軍內部，有的進攻我軍外面，使我軍士卒驚慌失措，全軍混亂潰敗，這應該怎麼辦呢？」

太公回答：「遇到這種情況，應該把全軍分爲三部分，並根據地形情況選擇有利地點駐紮，詳細查明敵人城外部隊所在的位置以及附近還有哪些大城和堡壘，然後故意給被圍困的敵軍留出一條通道，引誘城內敵軍外逃，並嚴密戒備，不要讓敵人跑掉。先逃出的敵人驚恐慌亂，不是想逃入山林，就是想逃往附近的大城。這時我軍的第二支部隊首先趕走敵人在城外的部隊，命令車兵、騎兵在距城較遠的地方攔擊，一定不能讓他們逃脫。在這種形勢下，城內的敵軍就會誤以爲其先頭部隊已突圍成功，打開了通道，其精兵就一定會繼續出城外逃，衹將一些老弱士卒留在城內。然後用我軍的第三支部隊的戰車和騎兵長驅直入，敵人的守城部隊一定不敢繼續突圍，衹得退回城中。這時我軍應該格外謹慎，不要急於與敵軍交戰，衹要斷絕敵軍的糧道，進

行圍困，時間一長，敵人就一定會投降。攻克城邑之後，不要焚燒他們聚積的物資，不要毀壞他們的房屋，不要砍伐墳地的樹木和社廟的樹林，不要殺戮投降的敵軍士卒，不要虐待俘虜，借此向敵國民衆展現仁慈，施以恩惠，並向敵國軍民宣佈：『有罪的衹是無道君主一人。』這樣，天下人都會心悅誠服。」

武王說：「您說得眞好！」

火戰第四十一

原文 武王問太公曰：「引兵深入諸侯之地，遇深草蓊穢[1]，周吾軍前後左右，三軍行數百里，人馬疲倦休止。敵人因天燥疾風之利，燔吾上風，車騎鋭士，堅伏吾後，吾三軍恐怖，散亂而走，爲之奈何？」

太公曰：「若此者，則以雲梯、飛樓，遠望左右，謹察前後，見火起，即燔吾前而廣延之[2]，又燔吾後。敵人若至，則引軍而卻。按[3]黑地[4]而堅處，敵人之來，猶在吾後，見火起，必還走。

吾按黑地而處，強弩材士衛吾左右，又燔吾前後，若此，則敵不能害我。」

注釋 ①蓊穢：草木茂盛的樣子。②即燔吾前而廣延之：意思是敵人在我軍前方放火，我軍應首先把營前一定距離內的草木清除掉，形成一條防火帶，然後在防火帶前一定距離外放火，在營前燒出一片空地，以隔斷敵之火勢，使火燒不到我軍。③按：根據。④黑地：草地被火燒過之後地面呈黑色，所以稱爲黑地。

譯文 武王問太公：「率領軍隊深入敵國境內，遇到茂密的草叢樹木環繞着我軍的前後左右，我軍已經連續行軍數百里，人馬疲憊不堪，需要宿營休息。這時，敵人乘着乾燥的天氣和大風，在我軍的上風口放火，敵軍的車兵、騎兵、精銳的戰士頑強地埋伏在我軍後面，造成我全軍恐慌，散亂逃跑，這應該怎麼辦呢？」

太公回答：「在這種情況下，應該在營地豎起雲梯、飛樓，登高瞭望，嚴密監視前後左右的情況，若發現火起，就立即在營前清出一條防火帶，在距防火帶較遠的開闊地上放火，擴大火焚面積，同時又在我軍後方放火，燒出一塊黑地。如果敵人前來攻打，就帶領軍隊撤退。撤退到黑地上堅守，前來進攻的敵人此時處在我軍的下風口，他們看到火起，就一定會退走。我軍在黑地上佈列陣勢，用強弩和精銳勇猛的戰士掩護左右兩翼，又事先放火燒掉我軍前後的草地，這樣，敵人即使使用火攻也不能加害於我軍了。」

原文 **武王曰：「敵人燔吾左右，又燔吾前後，烟覆吾軍，其大兵按黑地而起，爲之奈何？」**

太公曰：「若此者，爲四武衝陳，強弩翼①吾左右。其法無勝亦無負。」

注釋 ①翼：遮護，守衛。

譯文 武王問：「如果敵人既在我軍左右放火，又在我軍前後放火，導致我軍被濃烟覆蓋，而敵人的大軍突然向我軍據守的黑地發動進攻，這應該怎麼辦呢？」

太公回答：「遇到這種情況，應當把我軍結成四武衝陣的陣形，用強弩掩護我軍左右兩翼。這種辦法雖然不能取勝，但也不至於失敗。」

壘虛第四十二

原文 **武王問太公曰：「何以知敵壘①之虛實，自來自去？」**

太公曰：「將必上知天道，下知地理，中知人事。登高下望，以觀敵之變動；望其壘，即知其虛實；望其士卒，則知其去來。」

注釋 ①敵壘：敵人的營壘。

譯文 武王問太公：「怎樣才能知道敵軍營壘的虛實，以及敵軍是打算進攻還是準備撤退呢？」

太公回答：「作爲將帥，必須上知天時的順逆，下知地形的險易，中知人事的得失。登高下望，觀察敵軍動靜的變化；從遠處瞭望敵軍的營壘，就能知道敵軍的虛實；觀察敵軍士兵的動態，就能知道他們是打算進攻還是準備撤退。」

原文 **武王曰：「何以知之？」**

太公曰：「聽其鼓無音，鐸無聲，望其壘上多飛鳥而不驚，上無氛氣①，必知敵詐而爲偶人②也。敵人卒去不遠，未定而復返者，彼用其士卒太疾也。太疾，則前後不相次；不相次，則行陳必亂。如此者，急出兵擊之，以少擊衆，則必勝矣。」

注釋 ①氛氣：塵烟。②偶人：指用上木或稻草製成的假人。

譯文 武王問：「依據什麼纔能知道這些呢？」

太公回答：「敵營中既沒有鼓聲，又沒有鈴聲，遠望敵軍營壘上空有許多飛鳥來回而毫無驚恐，空中也沒有飛揚的塵烟，就可以斷定敵軍已經撤退，衹是用一些偶人欺騙我們。如果敵軍倉促撤退不遠，還沒有停下來又急忙返回，這表示敵軍是在極其匆忙的情況下調動。在極其匆忙的情況下調動，那麼前後就沒有秩序，不相連接；沒有秩序，不相連接，行列陣勢就必然混亂。在這種情況下，我軍可以迅速出兵攻打，即使以少擊衆，也一定會取得勝利。」

林戰第四十三

原文　武王問太公曰：「引兵深入諸侯之地，遇大林，與敵分林①相拒。吾欲以守則固，以戰則勝，爲之奈何？」

太公曰：「使吾三軍分爲衝陳②，便兵所處，弓弩爲表，戟楯爲裏，斬除草木，極廣吾道，以便戰所。高置旌旗，謹敕③三軍，無使敵人知吾之情，是謂林戰④。林戰之法：率吾矛戟，相與爲伍；林間木疏，以騎爲輔，戰車居前，見便則戰，不見便則止；林多險阻，必置衝陳，以備前後，三軍疾戰，敵人雖衆，其將可走；更戰更息⑤，各按其部，是謂林戰之紀⑥。」

注釋　①分林：指敵我雙方各占據一部分樹林。②衝陳：四武衝陣。③謹敕：嚴令。④是謂林戰：這裏指林地作戰的戰鬥準備。⑤更戰更息：輪番作戰，輪番休息。⑥紀：原則。

譯文　武王問太公：「率領軍隊深入敵國境內，遇到大片林地，與敵人各自占據林地的一部分對峙。我軍想要防守則防禦堅不可破，想要進攻則能取勝，應該怎麼辦呢？」

太公回答：「將軍隊分開，部署成四武衝陣，駐守在便於我軍作戰的地方，每個四武衝陣外層都配備弓弩手，內層配置手執戟和大盾的戰士，斬除草木，廣開道路，方便我軍採取戰鬥行動。高高地豎起旗幟，嚴格約束全軍，不要讓敵軍知曉我軍的情況，這就是所說的林地作戰的戰鬥準備。林地作戰的方法是：將我軍使用矛戟的步兵編組爲互相配合的戰鬥分隊；林地中樹木稀疏的地方，就派騎兵輔助作戰；把戰車擺在前面，發現有利時機我軍就戰鬥，沒有發現有利時機就停止不前；遇到林地中的險阻地形，一定要部署成四武衝陣陣形，防備敵軍攻擊我軍前後；全軍奮力作戰，敵人即使人多勢衆，也會被我軍擊敗逃遁；我軍在戰鬥過程中輪番戰鬥，輪番休息，各部隊均按編組行動，這就是林地作戰的原則。」

突戰第四十四

原文 武王問太公曰：「敵人深入長驅，侵掠我地，驅我牛馬；其三軍大至，薄我城下，吾士卒大恐，人民繫累①，爲敵所虜。吾欲以守則固，以戰則勝，爲之奈何？」

太公曰：「如此者，謂之突兵②，其牛馬必不得食，士卒絕糧，暴擊而前。令我遠邑別軍，選其銳士，疾擊其後；審其期日，必會於晦③。三軍疾戰，敵人雖衆，其將可虜。」

注釋 ①繫累：捆綁，拘囚。②突兵：驟然進攻的部隊。③晦：陰曆每月的最後一天爲晦日。這裏指没有月光的黑夜。

譯文 武王問太公：「敵人進攻我國，長驅直入，侵掠我國的土地，搶奪我國的牛馬；他們的大軍蜂擁而來，逼近城下，我軍士卒十分恐慌，民衆被敵軍捆綁拘禁，成爲俘虜。在這種情況下，我想要防守則防禦堅不可破，想要戰鬥則能取勝，應該怎麼辦呢？」

太公回答：「像這種驟然進攻的軍隊，稱爲突兵，他們的牛馬必定

缺乏飼料，士卒斷糧，衹能迅猛地向我軍發動進攻。在這種情況下，應該命令我方駐紮在遠方的另一支部隊，挑選精銳的戰士，迅速在敵人的後方展開攻擊；詳細計算並確定會攻的時間，一定要在没有月光的夜晚來會合。全軍奮勇作戰，敵人即使人數衆多，也一定能擊敗敵軍，活捉敵將。」

原文 武王曰：「敵人分爲三四，或戰而侵掠我地，或止而收我牛馬，其大軍未盡至，而使寇薄我城下，致吾三軍恐懼，爲之奈何？」

太公曰：「謹候敵人未盡至，則設備而待之。去城四里而爲壘，金鼓旌旗，皆列而張，別隊爲伏兵；令我壘上多積強弩，百步一突門①，門有行馬②，車騎居外，勇力銳士隱伏而處。敵人若至，使我輕卒③合戰而佯走。令我城上立旌旗，擊鼙鼓，完爲守備。敵人以我爲守城，必薄我城下。發吾伏兵，以衝其內，或擊其外。三軍疾戰，或擊其前，或擊其後。勇者不得鬥，

輕者不及走。名曰突戰④。敵人雖衆，其將必走。」

武王曰：「善哉！」

注釋 ①突門：在城墻或壘壁上設置的暗門。一般由城墻內向外挖，外面留四五寸不挖透，以便守軍在有利時機將其推倒，突然出擊。②行馬：攔阻人馬通行的木架。③輕卒：輕裝兵卒。④突戰：突然出擊。

譯文 武王問：「如果敵軍分成三四部分，有的繼續進攻以侵占我方土地，有的駐紮某地以搜尋、掠奪我軍牛馬財物，敵軍的主力部隊還沒有全部趕到，而先用一部兵力進逼我城下，導致我方全軍恐慌，應該怎麼辦呢？」

太公回答：「應該派人仔細偵察情況，在敵人還沒有全部到達前，就做好完善的守備，等待敵軍。在離城四里的地方修築營壘，排列好金鼓，豎起旌旗，並另外派一支部隊擔任伏兵；命令守營壘的部隊在營壘上多配置強弩，每百步設置一個突門，門前設置行馬，將戰車、

騎兵安排在營壘的外面，勇猛精銳的士卒隱蔽埋伏起來。如果敵軍到來，先派我軍輕裝步兵與敵軍交戰，並佯裝不敵敗走。令我軍的守軍在城上豎起旗幟，敲響小鼓和大鼓，做好一切守備工作。敵人認爲我軍的主力在防守城邑，一定會進逼城下。這時突然出動我軍的伏兵，或衝進敵軍陣內，或攻擊敵軍外陣。同時再令我全軍奮勇出擊，或攻擊敵軍前部，或攻擊敵軍後部。這樣一來，使敵軍中勇敢的無法戰鬥，行動敏捷的來不及逃跑。這種戰法稱爲突戰。使用這種戰法，敵軍雖然人數衆多，其將領也必定會因戰敗而逃走。」

武王說：「您說得眞好！」

敵強第四十五

原文 武王問太公曰：「引兵深入諸侯之地，與敵人衝軍①相當，敵衆我寡，敵強我弱，敵人夜來，或攻吾左，或攻吾右，三軍震動。吾欲以戰則勝，以守則固，爲之奈何？」

太公曰：「如此者，謂之『震寇②』。利以出戰，不可以守。

選吾材士強弩，車騎爲之左右，疾擊其前，急攻其後，或擊其表，或擊其裏，其卒必亂，其將必駭。」

注釋 ①衝軍：擔任突擊任務的部隊。②震寇：使我軍感到震駭的敵軍。

譯文 武王問太公：「率領軍隊深入敵國境內，與敵軍突擊部隊相遇對陣，敵衆我寡，敵強我弱，而敵人又乘夜來襲，或進攻我軍左翼，或進攻我軍右翼，使我全軍震駭驚恐。我想要進攻則能夠取勝，防禦則堅不可破，應該怎麼辦呢？」

太公回答：「像這樣的敵人稱爲『震寇』。對付這樣的敵人，我軍積極出戰是有利的，而防守則是不適宜的。應該選拔精銳的戰士手執強弩，並用戰車、騎兵在左右兩側守衛輔佐，迅速地攻擊敵軍的首尾，或攻擊敵軍的外層，或攻擊敵軍的內層，就一定能使敵軍混亂，使敵軍將帥驚慌失措。」

原文 武王曰：「敵人遠遮我前，急攻我後，斷我銳兵，絕我材士，吾內外不得相聞，三軍擾亂，皆散而走，士卒無鬥志，將吏無守心，爲之柰何？」

太公曰：「明哉！王之問也。當明號審令，出我勇銳冒將之士，人操炬火①，二人同鼓，必知敵人所在，或擊其表，或擊其裏，微號②相知，令之滅火，鼓音皆止，中外相應，期約皆當，三軍疾戰，敵必敗亡。」

武王曰：「善哉！」

注釋 ①炬火：火把。②微號：暗號。

譯文 武王問：「敵人如果在遠處阻截我軍前方的通路，急速地攻擊我軍後部，截斷我軍精銳部隊之間的聯繫，阻止我軍前來救援的精銳戰士，使我軍前後方失去聯繫，導致全軍混亂，四散逃走，士卒失去鬥志，將帥無心固守，應該怎麼辦呢？」

太公回答：「您提出的這個問題真高明啊！遇到這種情況，應該申明號令，出動我軍勇猛精銳敢於冒險的士兵，每人手持火把，兩人同

炬束葦爲把而燒之也二人同擊一鼓所謂夜戰多火鼓也必察知敵人所在之處或擊其表裏微號相知以之滅火鼓音亦止中外互相接應期約皆當使三軍疾戰敵人必敗亡矣

擊一鼓，必須預先探知敵軍所處的位置。然後突然發動進攻，或攻擊敵軍的外層，或衝擊敵軍的內層，用暗號互相識別，密令下達，就一起撲滅火把，停止擊鼓，然後內外互相策應，各部隊按事先約定的計劃行動，全軍都勇猛出擊，敵軍必定會失敗滅亡。」

武王說：「您說得眞好！」

敵武第四十六

原文 **武王問太公曰：「引兵深入諸侯之地，卒遇敵人，甚衆且武，武車驍騎繞我左右，吾三軍皆震，走不可止，爲之奈何？」**

太公曰：「如此者，謂之『敗兵』。善①者以勝，不善者以亡。」

注釋 ①善：這裏指善於應變，指揮正確。

譯文 武王問太公：「率領軍隊深入敵國境內，突然與敵軍遭遇，敵軍人數衆多並且勇武，以武衛大戰車和勇猛的騎兵包抄我軍左右兩翼，我軍全軍震駭，敗退奔逃，不可阻止，此時應該怎麼辦呢？」

太公回答：「處於這種情況下的軍隊稱爲『敗兵』。善於指揮、應變的人，還有希望取勝；不善於指揮、應變的人，必然敗亡。」

原文 **武王曰：「用之奈何？」**

太公曰：「伏我材士強弩，武車驍騎爲之左右，常去前後①三里，敵人逐我，發我車騎，衝其左右。如此，則敵人擾亂，吾走者自止。」

注釋 ①前後：這裏用作偏義詞，偏指後方。

譯文 武王問：「處於這種情況下應該怎麼做呢？」

太公回答：「應該讓我軍的精銳戰士手執強弩埋伏起來，並把大型戰車和勇猛的騎兵安排在左右兩翼，伏擊地點通常選在距離我軍主力部隊後約三里的地方，敵人如果前來追擊，就出動戰車和騎兵，攻擊敵軍左右兩側。這樣，敵軍就會陷入混亂，我方軍中逃跑的士卒就不會再逃跑了。」

原文 **武王曰：「敵人與我車騎相當，敵衆我少，敵強我弱，**

其來整治①精銳，吾陳不敢當②，爲之奈何？」

太公曰：「選我材士強弩，伏於左右，車騎堅陳而處。敵人過我伏兵，積弩③射其左右，車騎銳兵，疾擊其軍，或擊其前，或擊其後，敵人雖衆，其將必走。」

武王曰：「善哉！」

注釋 ①整治：整飭，形容隊列整齊。②當：抵擋，抵禦。③積弩：連射之弩。

譯文 武王問：「敵軍與我軍的戰車和騎兵相遇，敵衆我寡，敵強我弱，敵軍的陣勢整齊，士卒精銳，我軍的陣勢難以抵擋，應該怎麼辦呢？」

太公回答：「在這種情況下，應該選拔我軍精銳之士和強弩，埋伏在左右兩側，將戰車和騎兵佈成堅固的陣列進行防守。當敵人通過我軍設伏的地方時，就用積弩射擊敵軍的左右兩翼，同戰車、騎兵和精銳戰士猛烈攻擊敵軍，或攻擊敵軍的前部，或攻擊敵軍的後部，敵人雖然人數衆多，也必定能打敗他們，迫使敵將逃走。」

武王說：「您說得眞好！」

烏雲山兵第四十七

原文 武王問太公曰：「引兵深入諸侯之地，遇高山磐石，其上亭亭①，無有草木，四面受敵，吾三軍恐懼，士卒迷惑。吾欲以守則固，以戰則勝，爲之奈何？」

太公曰：「凡三軍處山之高，則爲敵所棲②；處山之下，則爲敵所囚③。既以被山④而處，必爲烏雲之陳⑤。烏雲之陳，陰陽⑥皆備，或屯其陰，或屯其陽。處山之陽，備山之陰；處山之陰，備山之陽；處山之左，備山之右；處山之右，備山之左。其山敵所能陵⑦者，兵備其表，衢道通谷⑧，絕以武車，高置旌旗，謹敕三軍，無使敵人知吾之情，是謂山城⑨。行列已定，士卒已陳，法令已行，奇正已設，各置衝陳於山之表，便兵所處，乃分車騎爲烏雲之陳。三軍疾戰，敵人雖衆，其將可擒。」

注釋 ①亭亭：高聳的樣子。②棲：鳥類歇宿於樹上。這裏指被敵軍圍困在山上。③囚：囚禁。這裏指被敵軍圍困在山腳下的谷地。④被山：這裏指占領整個山頭。⑤烏雲之陳：像烏雀之聚散無常，飄忽不定，時分時合的陣形。⑥陰陽：山北爲陰，山南爲陽。⑦陵：攀登。⑧通谷：往來無阻的山谷。這裏指谷口。⑨山城：這裏指我軍防守堅固，使整座山像城堡一樣。

譯文 武王問太公：「率領軍隊深入敵國境內，遇到高山巨石，山頂高高聳立，沒有草木，我軍處於四面受敵的境地，全軍恐懼不安，士兵疑慮惶恐。我要想進行防守則能堅不可破，想要進攻則能取勝，應該怎麼辦呢？」

太公回答：「大凡軍隊處於山頭，就容易被敵軍圍困在山上；大凡軍隊處於山腳，就容易被敵軍圍困在山腳的谷地。既然占領了整個山頭，就必須排列成烏雲之陣。所謂烏雲之陣，就是既能防禦山的北面，又能防禦山的南面，軍隊或者駐守在山的北面，或者駐守在山的南面。駐守在山的南面，就要戒備山的北面；駐守在山的北面，就要戒備山的左面；駐守在山的左面，就要戒備山的右面；駐守在山的右面，就要戒備山的左面。在這座山上，凡是敵軍能夠攀登的地方，都要派兵守備，要派戰車在交叉路口和谷口進行阻絕，高掛旗幟，整飭三軍，不要讓敵人察知我軍情況，這樣整座山可以稱之爲山城。部隊的行列已經安排好，士卒已經佈成陣勢，法令已經頒行，奇正的運用已經確定，各部隊在山上比較突出的高地便於作戰的地方編成四武衝陣，然後把戰車和騎兵佈成烏雲之陣。敵軍如果前來攻打，我軍猛烈還擊，敵軍雖然人數衆多，也一定能打敗他們，活捉他們的主將。」

烏雲澤兵第四十八

原文 武王問太公曰：「引兵深入諸侯之地，與敵人臨水相拒，敵富而衆，我貧而寡，踰水擊之則不能前，欲久其日則糧食少。

吾居斥滷之地①，四旁無邑，又無草木，三軍無所掠取，牛馬無所芻牧②，爲之奈何？」

太公曰：「三軍無備，牛馬無食，士卒無糧，如此者，索便③詐敵而亟去之，設伏兵於後。」

注釋 ①斥滷之地：鹽碱地。這裏指荒蕪貧瘠的地方。斥，碱。②芻牧：割草，放牧。③索便：尋找合適的機會。

譯文 武王問太公：「率領軍隊深入敵國境内，與敵軍隔河對峙，敵軍物資充足，兵力衆多，而我軍物資貧乏，兵力不足，想要渡河進攻則無力前進，想要長期對峙則糧草不足。我軍處於貧瘠荒蕪的鹽碱地，四周既沒有城邑又沒有草木，軍隊既無處可以掠取物資，又無處放牧牛馬，應該怎麽辦呢？」

太公回答：「軍隊沒有必要的戰備，牛馬缺乏飼料，士卒缺乏糧食，在此情況下，應當尋找合適的機會，欺騙敵人，迅速轉移到別的地方，並在後面設下埋伏，應付敵人的追擊。」

原文 武王曰：「敵不可得而詐，吾士卒迷惑，敵人越我前後，吾三軍敗亂而走，爲之奈何？」

太公曰：「求途之道，金玉爲主①，必因敵使，精微爲寶②。」

注釋 ①金玉爲主：以金玉財寶爲欺誘敵人的主要手段。②精微爲寶：指謀劃或行動時，以精細隱秘爲最寶貴的手段。

譯文 武王問：「如果敵人不受我軍的詐騙，我軍士卒迷惑恐懼，敵人包抄我軍前後，我全軍潰退敗逃，應該怎麽辦？」

太公答道：「這時尋求退路的方法，主要是用金玉財寶引誘敵人前來掠奪，同時賄賂敵方使者，最關鍵的，是事情必須辦得精細隱秘。」

原文 武王曰：「敵人知我伏兵，大軍不肯濟，別將①分隊以踰於水，吾三軍大恐，爲之奈何？」

太公曰：「如此者，分爲衝陳，便兵所處，須②其畢出，發我伏兵，疾擊其後；強弩兩旁，射其左右。車騎分爲烏雲之陳，備其前後，三軍疾戰。敵人見我戰合，其大軍必濟水而來，發我伏

兵，疾擊其後，車騎衝其左右，敵人雖衆，其將可走。凡用兵之大要，當敵臨戰，必置衝陣，便兵所處，然後以車騎分爲烏雲之陳，此用兵之奇也。所謂烏雲者，烏散而雲合，變化無窮者也。」

武王曰：「善哉！」

注釋 ①別將：分遣隊的將領。②須：等待。

譯文 武王問：「敵人已經得知我軍設有伏兵，大軍不肯渡河，並派分遣隊的將領率領一支小部隊渡河進攻，我軍十分驚恐，應該怎麼辦呢？」

太公答道：「在這種情況下，應該把軍隊分開，各部隊部署爲四武衝陣，駐守在便於作戰的地方，等待敵軍全部渡河，然後讓我軍的伏兵發動進攻，猛烈攻擊敵軍的後部；用強弩從兩旁射擊敵軍的左右。戰車和騎兵組成烏雲之陣，在前後戒備，全軍都勇猛作戰。敵軍發現我軍與他們渡過河的小部隊交戰，其大軍一定會渡過河來接應，這時發動我軍的伏兵，猛烈攻擊敵軍的後部，並用戰車和騎兵衝擊敵軍左

右兩翼，這樣，敵軍雖然人數衆多，也一定會被我軍打敗，他們的將領也必定逃走。大凡用兵的基本原則，在於當與敵軍對陣面臨作戰時，一定要把軍隊佈列爲四武衝陣，配置在適合作戰的地方，然後把戰車和騎兵佈成烏雲之陣，這就是出奇制勝的用兵方法。所謂烏雲，就是烏散云合，靈活機動，變化無窮。」

武王說：「您說得眞好！」

少衆第四十九

原文 **武王問太公曰：「吾欲以少擊衆，以弱擊強，爲之奈何？」**

太公曰：「以少擊衆者，必以日之暮，伏於深草，要之隘路；以弱擊強者，必得大國之與，鄰國之助。」

譯文 武王問太公：「我想要以少擊衆，以弱擊強，應該怎麼辦呢？」

太公答道：「以少擊衆，必須乘黃昏天黑，把軍隊埋伏在深草叢中，在狹窄險要的道路上攔擊敵人；以弱擊強，必須得到大國的協助和鄰國的支援。」

熒惑火星名也以其光熒可疑惑人也

原文

武王曰：「我無深草，又無隘路，敵人已至，不適日暮；我無大國之與，又無鄰國之助，爲之奈何？」

太公曰：「妄張詐誘，以熒惑①其將，迂其道，令過深草，遠其路，令會日暮，前行②未渡水，後行③未及舍。發我伏兵，疾擊其左右，車騎擾亂其前後，敵人雖衆，其將可走。事大國之君，下④鄰國之士，厚其幣⑤，卑其辭。如此，則得大國之與，鄰國之助矣。」

武王曰：「善哉！」

注釋

①熒惑：迷惑。②前行：指先行部隊。③後行：指後續部隊。④下：這裏指把自己放在比對方卑下的地位。⑤幣：本指用作禮物的絲織品，後泛指各種財物。

譯文

武王問：「如果我軍所處的地方既沒有深草地帶可以設置埋伏，又沒有險要狹窄的道路可以利用，敵軍已經到達，但是不是在黃昏天黑的時候到達；我方既沒有大國的協助，也沒有鄰國的支援，應

書香傳家

官渡戰袁紹

建安四年（一九九）六月，袁紹挑選精兵十萬，戰馬萬匹，南下進攻許昌。袁紹、曹操雙方軍隊對峙官渡，袁紹在兵力上遠勝於曹操，曹操聲東擊西，分散其兵力，進而自己集中兵力，分而擊之，各個擊破，斬顏良，奪烏巢，燒糧草，致使袁紹軍心大亂，大敗而歸。曹操此戰以少擊衆，以弱勝強。

該怎麼辦呢？」

太公回答：「此時應該虛張聲勢，引誘詐騙敵將，使其迷惑，誘使敵人迂迴前進，一定要使他們經過深草地帶，引誘敵軍繞走遠路，延誤時間，一定要使其正好在黃昏天黑，敵軍的先頭部隊還沒有全部渡水，後續部隊來不及宿營時，同我軍遭遇。此時，發動我軍的伏兵，迅速猛烈地攻擊敵軍的左右兩翼，並令我軍的戰車和騎兵在敵軍前後騷擾，這樣，敵人雖然人數衆多，也一定會被我軍打敗，迫使他們的主將逃跑。恭敬地事奉大國的君主，謙卑地禮遇鄰國的賢士，多送錢財，言辭謙遜，這樣就能獲得大國的支持和鄰國的援助。」

武王說：「您說得眞好！」

分險第五十

原文 武王問太公曰：「引兵深入諸侯之地，與敵相遇於險阨①之中，吾左山而右水，敵右山而左水，與我分險相拒，各欲以守則固，以戰則勝，爲之奈何？」

太公曰：「處山之左，急備山之右；處山之右，急備山之左。險有大水無舟楫者，以天潢濟吾三軍。已濟者，亟廣吾道，以便戰所。以武衝爲前後，列其強弩，令行陳皆固。衢道谷口，以武衝絕之，高置旌旗，是謂車城②。凡險戰之法，以武衝爲前，大櫓爲衛，材士強弩翼吾左右。三千人爲屯，必置衝陳，便兵所處。左軍以左，右軍以右，中軍以中，並攻而前。已戰者還歸屯所，更戰更息，必勝乃已。」

武王曰：「善哉！」

注釋 ①險阨：險要阻塞。也指險要阻塞之地。②車城：通過連結戰車而構築起來的像城堡一樣的防禦陣地。

譯文 武王問太公：「率領軍隊深入敵國境內，與敵軍在險阻狹隘的地方相遇，我軍左依山右臨水，敵軍右依山左臨水，雙方各自占據一部分險要之地對峙，雙方都想做到進行防守則堅不可破，進行進攻則能取勝，應該怎麼辦呢？」

太公回答：「如果我軍占據山的左側，就應該迅速加強對山的右側的戒備；如果我軍占據山的右側，就應該迅速加強對山的左側的戒備。險要地區如有大江大河，而我軍沒有船隻，就應該用天潢使我軍渡河。已經渡河的先頭部隊應該迅速開闢前方的道路，搶占有利地形，以便我軍採取作戰行動。把武衛戰車配置在我軍的前後進行掩護，佈列強弩，使我軍的陣勢堅定穩固。在交通要道和山谷的谷口用武衛戰車進行阻絕，高掛旌旗，這種用戰車連接起來的防禦陣勢可以稱爲車城。大凡在險要地帶作戰的方法是，把武衛戰車配置在軍隊的前方，用大盾牌進行防衛，派遣精銳的戰士手執強弩在軍隊左右兩翼掩護。每三千人爲一屯，一定要編成四武衝陣，駐守在便於作戰的地形上。戰鬥時，左翼部隊向左路進攻，右翼部隊向右路進攻，中間的部隊向中間進攻，三軍齊頭並進。已戰的部隊回到原屯駐之地進行休整，未戰的部隊依次投入戰鬥，輪番作戰，輪番休息，直到取得勝利才停止。」

武王說：「您說得眞好！」

犬韜

分合第五十一

原文 武王問太公曰：「王者帥師，三軍分爲數處，將欲期會合戰①，約誓②賞罰，爲之奈何？」

太公曰：「凡用兵之法，三軍之衆，必有分合之變。其大將先定戰地、戰日，然後移檄書③與諸將吏，期攻城圍邑，各會其所，明告戰日。漏刻④有時，大將設營佈陳，立表⑤轅門⑥，清道而待。諸將吏至者，校其先後，先期至者賞，後期至者斬。如此，則遠近奔集，三軍俱至，並力合戰。」

注釋 ①期會合戰：約定時間地點，聚集軍隊交戰。期，約定。②約誓：作戰前夕集合軍隊，宣告交戰的目的、原因，嚴明軍紀，告誡將士。③檄書：檄文。古代寫在木簡上的官方文書，用以徵召、曉諭或聲討。④漏刻：古代的一種計時器。把兩個銅壺，分置上下，上壺盛水，使水漏入下壺。下壺設有直立的浮標，標竿上刻有分畫。上壺的水漏入下壺時，標竿逐漸昇起，以此計算時間。⑤立表：古代計時方法之一。在陽光下豎立木樁，通過觀察影子來計算時間。⑥轅門：軍營的正門。古時帝王外出田獵、巡狩駐紮時，用車環繞爲營，營門即用兩車仰置，使車轅相向，故稱。

譯文 武王問太公：「君王領兵出征，全軍分駐數處，主將想要按約定的時間集結軍隊同敵人交戰，並告誡全軍官兵，嚴明賞罰，應該怎麼辦呢？」

太公回答：「一般用兵的方法，一定要將全軍分成若干部隊，在部署上有分散兵力和集中兵力的變化。主將首先確定作戰的地點和時間，然後將戰鬥檄文下達給其他部隊的將領，約定要攻打和包圍的城邑，規定各軍集結的地點，規定交戰的日期。在各部隊規定到達的時間之前，主將在集結地點設置營壘，排列陣勢，在營門豎立標竿計算時間，清理出通道，等待各部將領到達。各部將領到達時，要核實他們是在規定的時間之前到達還是在規定的時間之後到達，在之前到達的給予獎勵，在之後到達的斬首示眾。這樣，不論遠近，各部隊都會在規定的時間內趕到集結地，全軍全部到達後，就能集中力量與敵軍交戰。」

武鋒第五十二

原文 **武王問太公曰：「凡用兵之要，必有武車驍騎，馳陳①選鋒②，見可則擊之。如何則可擊？」**

太公曰：「夫欲擊者，當審察敵人十四變③。變見則擊之，敵人必敗。」

注釋 ①馳陳：衝陣之軍。陳，通「陣」。②選鋒：選拔精銳戰士所組成的突擊隊。③變：變故。這裏指對敵人不利的情況。

譯文 武王問太公：「通常用兵的重要原則，就是一定要有強大的戰車和勇猛的騎兵，有衝陣之軍和由精兵組成的突擊部隊，發現有可乘之機就發起進攻。那麼，究竟在什麼情況下可以發起進攻呢？」

太公回答：「想要發起進攻，應當仔細察明對敵人不利的十四種情況。一旦發現這些情況，就可以發起進攻，敵人一定會被打敗。」

原文 **武王曰：「十四變可得聞乎？」**

太公曰：「敵人新集可擊，人馬未食可擊，天時不順可擊，地形未得可擊，奔走可擊，不戒可擊，疲勞可擊，將離士卒可擊，涉長路可擊，濟水可擊，不暇①可擊，阻難②狹路可擊，亂行可擊，心怖可擊。」

注釋 ①不暇：忙亂，不安定。②阻難：險阻艱難。

譯文 武王問：「您可以把這十四種情況講給我聽聽嗎？」

太公回答：「敵軍剛剛集結，還沒有佈陣的時候，可以發起進攻；敵軍人馬飢餓，還沒有進食的時候，可以發起進攻；氣候條件不利於敵軍的時候，可以發起進攻；地理條件不利於敵軍的時候，可以發起進攻；敵軍倉促奔走趕路的時候，可以發起進攻；敵軍戒備鬆懈的時候，可以發起進攻；敵軍疲勞倦怠的時候，可以發起進攻；敵軍將領離開士卒，軍中無人指揮的時候，可以發起進攻；敵軍長途跋涉的時候，可以發起進攻；敵軍正在渡河的時候，可以發起進攻；敵軍忙亂不安定的時候，可以發起進攻；敵軍通過艱難險阻和隘路的時候，可以發起進攻；敵軍行列散亂不整的時候，可以發起進攻；敵軍軍心渙散的時候，可以發起進攻。」

練士第五十三

原文 **武王問太公曰：「練士之道①奈何？」**

太公曰：「軍中有大勇、敢死、樂傷者，聚爲一卒②，名曰冒刃之士。有銳氣、壯勇、強暴③者，聚爲一卒，名曰陷陳之士。有奇表、長劍④，接武⑤齊列者，聚爲一卒，名曰勇銳之士。有拔距、伸鉤⑥，強梁⑦多力，潰破金鼓，絕滅旌旗者，聚爲一卒，名曰勇力之士。有踰高絕遠，輕足善走者，聚爲一卒，名曰寇兵之士。有王臣失勢，欲復見功者，聚爲一卒，名曰死鬥之士。有死將之人子弟，欲與其將報仇者，聚爲一卒，名曰敢死之士。

拔距即超距謂跳躍也昔甘延壽投石投距絕於等倫王翦士卒投石超距即此義也或曰拔字乃投字之誤也伸鉤能伸鐵鉤也

有贅壻⑧、人虜，欲掩跡揚名者，聚爲一卒，名曰勵鈍⑨之士。有貧窮憤怒，欲快其心者，聚爲一卒，名曰必死之士。有胥靡⑩免罪之人，欲逃其恥者，聚爲一卒，名曰幸用之士。有材技兼人，能負重致遠者，聚爲一卒，名曰待命之士。此軍之練士，不可不察也。」

注釋

①練士之道：挑選士兵的方法。練，通「揀」，選擇。②卒：古代軍隊的一種編制，一般百人爲一卒。③強暴：強橫凶狠。這裏表示武勇。④奇表、長劍：這裏均指與衆不同的有志之士。⑤接武：前後足跡相連結。武，足跡。這裏指步伐整齊。⑥拔距：古代一種習武方法，兩人對坐在地上，抓住對方的手臂運力，以把對方從地上拔起爲勝。伸鉤：把彎鉤拉直。⑦強梁：強勁有力，勇武。⑧贅壻：結婚後住到女家的男子。⑨勵鈍：激勵遲鈍萎靡之人。鈍，這裏指在人生道路上因挫折過多而意志消沈。⑩胥靡：古代服勞役的奴隸或囚犯。

譯文

武王問太公：「挑選士兵組編隊伍有什麼方法？」

太公回答：「把軍隊中勇氣超人、不怕犧牲、以戰死爲榮的人，編爲一隊，稱爲冒刃之士。把銳氣十足、健壯勇猛、強勁有力的人，編爲一隊，稱爲陷陣之士。把儀表非凡、善用長劍的人，以及步履穩健、動作整齊的人，編爲一隊，稱爲勇銳之士。把臂力過人、能拉直彎鉤的人，以及強壯有力能衝入敵陣搗毀敵人金鼓，能奪取敵人旗幟的人，編爲一隊，稱爲勇力之士。把能夠攀登高峰、行走遠路的人，以及輕便靈活善於奔跑的人，編爲一隊，稱爲寇兵之士。把曾經是貴族大臣卻因故失勢而想重建功勛的人，編爲一隊，稱爲死鬥之士；把一心想爲自己父兄報仇的陣亡將帥的子弟，編爲一隊，稱爲敢死之士。把曾入贅爲壻和當過敵人俘虜，要求掩蓋恥辱、揚名立萬的人，編爲一隊，稱爲勵鈍之士。把因自己貧窮而憤怒不滿，要求立功受賞從而實現心願、揚眉吐氣的人，編爲一隊，稱爲必死之士。把免罪的想要掩蓋自己恥辱的囚犯，編爲一隊，稱爲幸用之士。把才能和技藝過人，能負重涉遠的人，編爲一隊，稱爲待命之士。這就是軍中挑選士兵組編隊伍的方法，不能不考察清楚。」

教戰第五十四

原文 武王問太公曰：「合三軍之眾，欲令士卒服習①，教戰②之道奈何？」

太公曰：「凡領三軍，有金鼓之節③，所以整齊士眾者也。將必先明告吏士，申之以三令，以教操兵④起居⑤，旌旗指麾⑥之變法。故教吏士，使一人學戰，教成，合之十人；十人學戰，教成，合之百人；百人學戰，教成，合之千人；千人學戰，教成，合之萬人；萬人學戰，教成，合之三軍之眾；大戰之法，教成，合之百萬之眾。故能成其大兵，立威於天下。」

武王曰：「善哉！」

注釋 ①服習：習熟武藝。②教戰：軍事訓練。③節：節制，指揮。④操兵：使用兵器。⑤起居：起立與蹲下，指隊列佈陣的操練動作。⑥指麾：指揮。

譯文 武王問太公：「會集全軍部隊，要使全體士兵都習熟戰鬥技能，那麼應該採取什麼樣的軍事訓練？」

太公回答：「凡是統率軍隊，必須用金鼓進行指揮，這是爲了使士兵們能統一行動。將帥首先應該明確地告訴官兵應該怎樣訓練，反復講解，然後再訓練他們如何使用兵器，熟悉隊列佈陣的操練動作，以及根據各種旗幟號令的變化改變動作、變化隊形。所以，訓練軍隊時，要挑選一個人來學習各種技能，把他訓練好後，再十人合練；十人一起學習各種技能，訓練好後，再百人合練；一百人一起學習各種技能，訓練好後，再千人合練；一千人學習各種技能，訓練好後，再萬人合練；一萬人學習各種技能，訓練好後，再全軍合練；全軍教練作戰的方法，訓練好後，再進行百萬大軍的合練。所以，用這種方法進行訓練，就能組成強大的軍隊，豎立無敵於天下的威信。」

武王說：「您說得眞好！」

均兵第五十五

原文 武王問太公曰：「以車與步卒戰，一車當幾步卒？幾步卒當一車？以騎與步卒戰，一騎當幾步卒？幾步卒當一騎？以車與騎戰，一車當幾騎？幾騎當一車？」

太公曰：「車者，軍之羽翼①也，所以陷堅陳，要強敵，遮走北也。騎者，軍之伺候②也，所以踵③敗軍，絕糧道，擊便寇④也。故車騎不敵戰⑤，則一騎不能當步卒一人。三軍之眾，成陳而相當，則易戰⑥之法：一車當步卒八十人，八十人當一車；一騎當步卒八人，八人當一騎；一車當十騎，十騎當一車。險戰⑦之法：一車當步卒四十人，四十人當一車；一騎當步卒四人，四人當一騎；一車當六騎，六騎當一車。夫車騎者，軍之武兵也，十乘敗千人，百乘敗萬人；十騎敗百人，百騎走千人。此其大數也。」

注釋 ①軍之羽翼：意爲戰車行動迅速，對於軍隊來說，好比鳥的羽翼，用來增強軍隊的戰鬥力。②軍之伺候：意爲騎兵如同偵察人員一樣，用來窺探、突擊敵人。③踵：跟踪，追擊。④便寇：敵軍中行動敏捷的游擊部隊。⑤車騎不敵戰：意爲戰車和騎兵因爲地形不適宜，不能充分發揮戰鬥力。⑥易戰：在平坦地帶作戰。⑦險戰：在險阻地帶作戰。

譯文 武王問太公：「用戰車同敵軍的步兵交戰，一輛戰車能抵擋多少名步兵？多少名步兵能抵擋一輛戰車？用騎兵同敵軍的步兵交戰，一名騎兵能抵擋多少名步兵？多少名步兵能抵抗一名騎兵？用戰車同敵軍的騎兵交戰，一輛戰車能抵擋多少名騎兵？多少名騎兵能抵擋一輛戰車？」

太公回答：「戰車，具有強大的戰鬥力，好比軍隊的羽翼，用來攻堅陷陣，攔擊強敵，斷絕敵軍的退路。騎兵如同偵察人員一樣，用來偵察警誡，跟踪追擊敗逃的敵軍，切斷敵軍的糧道，襲擊敵軍的游擊部隊。因此，當戰車和騎兵因爲地形不適宜，不能充分發揮戰鬥力時，一名騎兵甚至抵不上一名步兵。全軍佈列成陣，各兵種配合得當，那麼在平坦之地的作戰法則是：一輛戰車可以抵擋八十名步兵，八十名步兵相當於一輛戰車；一名騎兵可以抵擋八名步兵，八名步兵相當於一名騎兵；一輛戰車可以抵擋十名騎兵，十名騎兵相當於一輛戰車。在險阻之地的作戰法則是：一輛戰車可以抵擋四十名步兵，四十名步兵相當於一輛戰車；一名騎兵可以抵擋步兵四人，四名步兵相當於一名騎兵；一輛戰車可以抵擋六名騎兵，六名騎兵相當於一輛戰車。戰車和騎兵，是軍隊中最具有戰鬥力的兵種，十輛戰車可以擊敗一千個敵人，一百輛戰車可以擊敗一萬個敵人；十個騎兵可以擊敗一百個敵人，一百個騎兵可以擊敗一千個敵人。這些都是大概的數字。」

原文

武王曰：「車騎之吏數、陳法奈何？」

太公曰：「置車之吏數①，五車一長，十車一吏，五十車一率②，百車一將。易戰之法：五車爲列，相去四十步，左右十步，隊間六十步。險戰之法：車必循道，十車爲聚③，二十車爲屯，前後相去二十步，左右六步，隊間三十六步；五車一長，縱橫相去二里，各返故道。置騎之吏數：五騎一長，十騎一吏，百騎一率，二百騎一將。易戰之法：五騎爲列，前後相去二十步，左右四步，隊間五十步。險戰者：前後相去十步，左右二步，隊間二十五步。三十騎爲一屯，六十騎爲一輩④；十騎一吏，縱橫相去百步，周環各復故處。」

武王曰：「善哉！」

注釋

①吏數：軍官的數量。②率：通「帥」。古代的帥不一定指統帥，也泛指頭目、首領。③聚：與下文的「屯」，都是車兵的一種戰鬥編組。④輩：騎兵的一種戰鬥編組。

譯文

武王問：「應該如何配備戰車和騎兵部隊中的軍官的數量呢？」

大公回答：「戰車部隊中軍官的配置是，每五輛戰車設一長，每十輛戰車設一吏，每五十輛戰車設一率，每一百輛戰車設一將。在平坦之地的作戰方法是：每五輛戰車爲一列，戰車與戰車前後相距四十步，左右相距六十步。在險阻之地的作戰方法是：每輛戰車爲一聚，每二十輛戰車爲一屯，戰車與戰車前後相距二十步，左右相距六步，車隊與車隊的前後和左右各相距三十六步；每五輛戰車設一長，同隊的戰車前後左右相距不超過二里，戰車撤出戰鬥後仍按原路返回。騎兵部隊中軍官的配置是，每五名騎兵設一長，每十名騎兵設一吏，每一百名騎兵設一率，每二百名騎兵設一將。在平坦之地的作戰方法是：每五騎爲一列，各騎前後相距二十步，左右相距四步，隊與隊的前後和左右各相距五十步。在險阻之地的作戰方法是：各騎前後相距十步，左右相距二步，隊與隊前後和左右各相距二十五步。每三十名騎兵爲一屯，每六十名騎兵爲一輩；每十名騎兵設一吏，同隊的騎兵前後和左右相距不超過一百步，撤出戰鬥後各自返回到原來的位置。」

武王說：「您說得眞好！」

武車士第五十六

原文 武王問太公曰：「選車士①奈何？」

太公曰：「選車士之法，取年四十已下，長七尺五寸已上，走能逐奔馬，及馳②而乘之，前後、左右、上下周旋，能束縛旌旗；力能彀③八石弩④，射前後左右，皆便習者，名曰武車之士，不可不厚也。」

注釋 ①車士：戰車上的武士。②及馳：指能追上奔馳的戰車。③彀：使勁張弓。④八石弩：拉力爲八石的強弩。

譯文 武王問太公：「如何挑選乘戰車作戰的武士？」

太公回答：「挑選乘戰車作戰的武士的方法是，選取年齡在四十歲以下，身高在七尺五寸以上，奔跑的速度能追得上奔跑的馬，能追上奔馳的戰車並能跳上去，能在戰車上前後、左右、上下各方作戰自如，能執掌旌旗；能拉滿八石的強弩，熟練地向前後左右、射箭的人，他們被稱爲武車士，一定要厚待他們。」

射前後左右皆便利習熟者如楚樂伯與晉戰左射馬右射人使角不能進此是射前後左右便習者

武騎士第五十七

原文 武王問太公曰：「選騎士①奈何？」

太公曰：「選騎士之法：取年四十已下，長七尺五寸已上，壯健捷疾，超絕倫等②，能馳騎彀射，前後左右，周旋進退，越溝塹，登丘陵，冒險阻，絕大澤，馳強敵，亂大眾③者，名曰武騎之士，不可不厚也。」

注釋 ①騎士：騎馬作戰的武士。②超絕倫等：身懷特殊才能，本領超過眾人。③大眾：這裏指眾多敵軍。

譯文 武王問太公：「如何挑選騎馬作戰的武士？」

太公回答：「挑選騎馬作戰的武士的方法是：選取年齡在四十歲以下，身高在七尺五寸以上，強壯有力，行動敏捷，本領超過常人，能騎馬疾馳並在馬上挽弓射箭，向前向後、向左向右都應戰自如，進退有度，能策馬越過溝塹，攀登丘陵，敢於衝過險阻，橫渡大水，追擊強敵，擾亂眾多敵人的人，被稱爲武騎士，一定要厚待他們。」

戰車第五十八

原文 武王問太公曰：「戰車①奈何？」

太公曰：「步貴知變動，車貴知地形，騎貴知別徑②奇道，三軍同名而異用也。凡車之死地有十，其勝地③有八。」

注釋 ①戰車：這裏指用戰車作戰。②別徑：偏僻的小路。③勝地：可以打敗敵人取得勝利的地形。這裏指有利地形。

譯文 武王問太公：「用戰車作戰的方法有哪些？」

太公回答：「用步兵作戰貴在根據情況隨機應變，用戰車作戰貴在懂得利用地形，用騎兵作戰貴在有偏僻的小路和捷徑可走，三個兵種都是作戰部隊，衹是作用有所不同。通常用戰車作戰，有十種不利的地形，八種有利的地形。」

原文 武王曰：「十死之地奈何？」

太公曰：「往而無以還者，車之死地也。越絕險阻，乘敵①遠行者，車之竭②地也。前易後險者，車之困地也。陷之險阻而難出者，車之絕地也。圮下③漸澤，黑土黏埴④者，車之勞地也。左險右易，上陵仰阪⑤者，車之逆地也。殷草⑥橫畝，犯歷⑦深澤者，車之拂⑧地也。車少地易，與步不敵者，車之敗地也。後有溝瀆，左有深水，右有峻阪者，車之壞地也。日夜霖雨，旬日不止，道路潰陷，前不能進，後不能解⑨者，車之陷地也。此十者，車之死地也。故拙將之所以見擒，明將之所以能避也。」

注釋

①乘敵：追擊敵人。②竭：指馬睏人乏戰鬥力衰竭。

③圮下：地面塌陷形成的低窪。圮，坍塌，倒塌。④埴：黏土。

⑤阪：山坡。⑥殷草：茂盛的草。⑦犯歷：這裏指進入、越過。

⑧拂：逆，不順利。⑨解：指解開陣勢，迅速退走。

譯文

武王問：「十種不利地形是哪些？」

太公回答：「可以進入而不能退回的，是戰車的死地。越過險阻，長途追逐敵人的，是戰車的竭地。前路平坦易行，後路險要難通的，是戰車的困地。受困於險阻的地形而難以出來的，是戰車的絕地。道路坍塌積水的黑土黏泥地帶，是戰車的勞地。左邊地勢險阻右邊地勢平坦，還要登上土山爬上山坡的，是戰車的逆地。遍地是茂盛的草，還要渡過深水的，是戰車的拂地。戰車數量少，地形平坦，不能抵擋敵軍步兵的，是戰車的敗地。後有溝渠，左有深水，右有高坡的，是戰車的壞地。大雨日夜不停，連綿多日，道路毀壞，既不能前進，又不能解開陣勢後退的，是戰車的陷地。這十種地形都是戰車的死地。所以愚笨的將領由於不瞭解這十種死地而失敗被擒，明智的將領由於能避開這十種死地而取得勝利。」

原文

武王曰：「八勝之地奈何？」

太公曰：「敵之前後，行陳未定，即陷之。旌旗擾亂，人馬數動，即陷之。士卒或前或後，或左或右，即陷之。陳不堅固，士卒前後相顧，即陷之。前往而疑，後恐而怯，即陷之。三軍卒①驚，皆薄而起，即陷之。戰於易地，暮不能解②，即陷之。

遠行而暮舍，三軍恐懼，即陷之。此八者，車之勝地也。將明於十害、八勝，敵雖圍周，千乘萬騎前驅旁馳，萬戰必勝。」

武王曰：「善哉！」

注釋 ①卒：突然。②解：指兩軍分開，脱離接觸。

譯文 武王問：「八種有利的地形是哪些？」

太公回答：「敵軍前後隊列尚未佈成陣勢，這時就用戰車乘機攻破它。敵軍旌旗雜亂，人馬頻頻調動，這時就用戰車乘機攻破它。敵軍士卒有的前進，有的後退，有的向左，有的向右，這時就用戰車乘機攻破它。敵人陣勢不堅固，士兵在前後觀望，這時就用戰車乘機攻破它。敵軍前進時遲疑不定，後退時驚恐畏懼，這時就用戰車乘機攻破它。敵軍全軍突然驚亂，都急迫地擠成一團，這時就用戰車乘機攻破它。敵軍在平坦之地與我軍交戰，到了日暮時還沒有結束戰鬥，這時就用戰車乘機攻破它。敵軍長途行軍，天黑之後才宿營，全軍恐懼不安，這時就用戰車乘機攻破它。這八種情況都是有利於用戰車作戰的情況。將帥知道了上述利用戰車作戰的十種不利情況和八種有利情況，即使敵軍已經四面包圍我軍，並用千輛戰車、萬名騎兵向我軍正面進攻和兩側突擊，我軍也能每戰必勝。」

武王說：「您說得眞好！」

戰騎第五十九

原文 武王問太公曰：「戰騎奈何？」

太公曰：「騎有『十勝①』、『九敗②』。」

武王曰：「『十勝』奈何？」

太公曰：「敵人始至，行陳未定，前後不屬，陷其前騎，擊其左右，敵人必走。敵人行陳整齊堅固，士卒欲鬥，吾騎翼③而勿去，或馳而往，或馳而來，其疾如風，其暴如雷，白晝而④昏，數更旌旗，變易衣服，其軍可克。敵人行陳不固，士卒不鬥，薄其前後，獵⑤其左右，翼而擊之，敵人必懼。敵人暮欲歸舍，三軍恐駭，翼其兩旁，疾擊其後，薄其壘口，無使得入，敵人必敗。

敵人日暮而返其兵士甚衆其行伍陣勢必亂令我騎兵十而爲一隊百而爲一屯車五而爲一聚十而爲一群多設置旌旗錯雜以弩或翼擊其兩旁或斷絕其前後敵將可虜矣此已上乃騎之十勝也按十勝而止有八恐脫耳

注釋 ①十勝：十種制勝的情況。②九敗：九種必敗的情況。③翼：從兩側包抄。④而：通「如」。⑤獵：像獵取野獸一樣追擊、捕殺。

譯文 武王問太公：「運用騎兵作戰，應該怎樣做呢？」

太公回答：「運用騎兵作戰，有『十勝』和『九敗』。」

武王問：「『十勝』是哪些？」

太公回答：「敵軍剛到，還沒有布好陣列，前後不相連接，這時用騎兵擊破敵軍先頭騎兵部隊，同時夾擊敵軍左右兩側，敵軍一定潰敗逃走。敵軍行列整齊陣勢堅固，士兵士氣高昂，這時用騎兵包抄敵人兩翼不放，時而奔馳而去，時而奔馳而來，來來去去迅捷如風，猛烈如雷，使白晝如同黄昏，頻頻更换旗幟，改變服裝，令敵軍疑惑恐懼，就一定能夠打敗敵軍。敵軍行陣不堅固，士卒喪失士氣，這時用騎兵逼近敵軍的正面和後方，像打獵一樣追擊其左右，施行包抄夾擊，敵人一定大爲震恐。敵軍日暮回營，全軍恐懼慌亂，這時用騎兵夾擊敵軍的兩翼，快速攻擊敵軍的後方，向敵軍的營壘的出入口逼近，阻止敵軍進入營壘，敵軍一定失敗。

原文 **「敵人無險阻保固①，深入長驅，絕其糧路，敵人必飢。地平而易，四面見敵，車騎陷之，敵人必亂。敵人奔走，士卒散亂，或翼其兩旁，或掩其前後，其將可擒。敵人暮返，其兵甚衆，其行陳必亂，令我騎十而爲隊，百而爲屯，車五而爲聚，十而爲群，多設旌旗，雜以強弩，或擊其兩旁，或絕其前後，敵將可虜。此騎之『十勝』也。」**

注釋 ①保固：指可資據守的險固之所。

譯文 「敵軍沒有險要的地形可以固守，這時用騎兵長驅直入，切斷敵軍的糧道，敵軍一定會因飢餓而敗亡。敵軍處於平坦之所，四面都容易遭受攻擊，這時用騎兵配合戰車攻擊，敵軍一定會潰亂。敵軍敗逃，士卒四散，這時用騎兵或包抄夾擊其兩側，或從前後襲擊，就一定能夠擒獲敵軍將帥。敵軍日暮返回營壘，人數衆多，陣列一定混亂，這時將每十個騎兵組成一隊，每百人組成一屯，每五輛戰車組成一聚，每十輛戰車組成一群，多插旗幟，配置強弩，或掃擊敵軍的兩翼，或斷絕敵軍的前後，就一定能夠擒獲敵軍將帥。上述這些，就是騎兵作戰的『十勝』。」

原文 **武王曰：「『九敗』奈何？」**

太公曰：「凡以騎陷敵，而不能破陳，敵人佯走，以車騎返擊我後，此騎之敗地也。追北踰險，長驅不止，敵人伏我兩旁，又絕我後，此騎之圍地也。往而無以返，入而無以出，是謂陷於『天井①』，頓於『地穴②』，此騎之死地也。所從入者隘，所從出者遠，彼弱可以擊我強，彼寡可以擊我眾，此騎之沒③地也。

注釋 ①天井：四周都是高地，中間低下的地形。②地穴：下陷的窪地。③沒：覆沒，覆滅。

譯文 武王問：「『九敗』是哪些？」

太公回答：「凡是用騎兵進攻敵軍而不能攻破敵陣，敵軍佯裝逃跑而用戰車和騎兵繞回來攻打我軍後方，這就是騎兵敗地。追擊敗逃的敵軍，越過險阻，長驅不止，而敵軍在兩旁佈下了埋伏，又斷絕我軍的退路，這就是騎兵的圍地。我軍前進後不能後退，進入後不能出來，這就叫陷入『天井』之內，困於『地穴』之中，這就是騎兵的死地。我軍所在之地前進的道路狹窄，後退的道路迂遠，敵軍能夠以弱擊強，以少擊多，這就是騎兵的沒地。

原文 **「大澗深谷，蓊穢①林木，此騎之竭地也。左右有水，前有大阜②，後有高山，三軍戰於兩水之間，敵居表裏③，此騎之艱地也。敵人絕我糧道，往而無以返，此騎之困地也。污下沮澤④，進退漸洳⑤，此騎之患地也。左有深溝，右有坑阜，高下如平地，進退誘敵，此騎之陷地也。此九者，騎之死地也。明將之所以遠避，暗將之所以陷敗⑥也。」**

注釋 ①蓊穢：草木茂盛的樣子。②阜：土山。③表裏：內外有利的地形。④沮澤：水草叢生的沼澤地帶。⑤漸洳：低濕，泥濘。⑥陷敗：遭到失敗。

譯文 「大溪深谷，草木茂盛，騎兵行動困難，這就是騎兵作戰上的竭地。左右兩邊都有河流水澤，前面有高大的土山，後面有高聳的山峰，我軍在兩水之間同敵軍交戰，敵軍占據內外有利的地形，這就是騎兵的艱地。敵軍切斷我軍的糧道，我軍祇能前進而不能後退，這就是騎兵的困地。低窪之地和水草叢生的沼澤之地，進退都是泥濘之地，這就是騎兵的患地。左有深溝，右有深坑和土山，高低不平，遠看卻似平地，進退都會遭受敵軍的襲擊，這就是騎兵的陷地。上述九種情況都是騎兵作戰的死地，英明的將帥會竭力避開這些地方，昏庸的將帥不懂得要避開這些地方從而遭到失敗。」

戰步第六十

原文 **武王問太公曰：「步兵與車騎戰奈何？」**

太公曰：「步兵與車騎戰者，必依丘陵險阻，長兵強弩居前，短兵弱弩居後，更發更止①。敵之車騎，雖衆而至，堅陳疾戰，材士強弩，以備我後。」

注釋 ①更發更止：指把弩手分爲兩部分，輪流戰鬥，輪流休息。

譯文 武王問太公：「用步兵與敵軍的戰車、騎兵交戰，應該怎麼做？」

太公回答：「用步兵與敵軍的戰車、騎兵交戰，必須依托丘陵的險阻地形列陣，在前面配備長兵器和強弩，在後面配備短兵器和弱弩，輪流戰鬥，輪流休息。敵軍的戰車和騎兵雖然大批來到我軍陣前，我軍也要堅守陣地，頑強戰鬥，同時用精銳的戰士和強弩戒備後方。」

原文 **武王曰：「吾無丘陵，又無險阻，敵人之至，既衆且武，車騎翼我兩旁，獵我前後，吾三軍恐怖，亂敗而走，爲之奈何？」**

太公曰：「令我士卒爲行馬、木蒺藜，置牛馬隊伍①，爲四

武衝陳。望敵車騎將來，均置蒺藜，掘地匝後②，廣深五尺，名曰『命籠③』。人操行馬進退，闌車④以爲壘，推而前後，立而爲屯⑤，材士強弩，備我左右。然後令我三軍，皆疾戰而不解⑥。」

武王曰：「善哉！」

注釋 ①牛馬隊伍：把牛馬用繩索連在一起，編成隊伍。②掘地匝後：指在我軍後面開掘半圓形的壕溝。匝，環繞。③命籠：籠指周圍用溝塹、障礙物等構成的環形防禦體系，因爲它關係到全軍生死存亡的命運，所以稱爲「命籠」。④闌車：指把戰車當作阻擋用的障礙物。闌，阻擋，阻攔。⑤屯：這裏指屯兵的營寨。⑥解：通「懈」，鬆懈，懈怠。

譯文 武王問：「我軍所在之地既沒有丘陵可以依托，又沒有險阻可以據守，到達的敵軍人數衆多，而且有很強的戰鬥力，用戰車和騎兵包抄夾擊我軍兩翼，在我軍前方和後方展開獵殺，致使我軍恐懼萬分，混亂潰逃，應該怎麼辦呢？」

太公回答：「命令我軍士兵準備好行馬和木蒺藜等障礙器材，把牛馬用繩索連在一起，編成隊伍，步兵結成四武衝陣。看見敵軍的戰車和騎兵即將到來，就把木蒺藜放置在適當的地方，並在我軍後面開掘半圓形的壕溝環繞我軍後方陣地，壕溝的寬度和深度均爲五尺，這樣的陣地稱爲『命籠』。步兵帶着行馬進退，把戰車連接起來組成營壘，推着它前後移動，停止時就作爲呑併的營寨；用精鋭的戰士和強弩戒備左右。然後號令我全軍奮勇作戰，不得懈怠。」

武王說：「您說得眞好！」

上略

【原文】夫主將之法，務攬①英雄之心，賞祿有功，通志②於衆。故與衆同好靡③不成，與衆同惡靡不傾④。治國安家，得人也；亡國破家，失人也。含氣之類⑤，咸願得其志。

【注釋】①攬：招攬，拉攏。②通志：傳達自己的意志。通，傳達。③靡：沒有。④傾：傾覆，擊潰。⑤含氣之類：泛指具有氣息、生命的事物。這裏專指人類。

【譯文】軍中主將的方法，是務必要籠絡英雄豪傑的心，將爵祿賞賜給有功之人，向部衆傳達自己的意志。所以，與部衆有相同的喜好，就沒有做不成的事；與部衆有相同的憎惡對象，就沒有不能擊潰的敵人。國家大治，家庭安定，是因爲取得人心；國家滅亡，家庭破敗，是因爲失去人心。但凡是人，都願意實現自己心中的願望。

【原文】《軍讖》①曰：「柔能制剛，弱能制強。」柔者德也，剛者賊②也。弱者人之所助，強者怨之所攻。柔有所設，剛有所施，弱有所用，強有所加③。兼此四者而制其宜④。

【注釋】①《軍讖》：相傳爲古代兵書，常用來預測戰爭勝負，今已失傳。讖，能夠應驗的預言。②賊：禍患。③「柔有所設」四句：設、施、用、加，此四字都有「作用」的意思。④制其宜：根據具體情況合理運用。

【譯文】《軍讖》中說：「柔的事物能夠制服剛的事物，弱的事物能夠制服強的事物。」柔，是一種美德；剛，則是一種禍患。弱小的一方，容易得到人們的幫助；強硬的一方，卻容易受到怨恨和攻擊。柔有柔的用處，剛有剛的用處，弱有弱的用處，強有強的用處。應當將這四者結合起來，根據實際情況合理運用。

【原文】端末①未見，人莫能知。天地神明②，與物推移，變動無常。因敵轉化，不爲事先③，動而輒④隨。故能圖制⑤無疆，扶成天威⑥，匡正八極⑦，密定九夷⑧。如此謀者，爲帝王師。

【注釋】①端末：頭和尾。這裏指事情的始末。②神明：神妙莫測。③不爲事先：不事先確定作戰計劃。④輒：猶「就」。⑤圖制：圖謀制勝。⑥天威：天子的權威。⑦八極：極遠之地。這裏指天下。⑧九夷：先秦時期對我國東部諸少數民族的泛稱。

譯文　事情的始末沒有顯露出來，人們就無法瞭解。天地自然神奇莫測，隨着各種事物的推移而變化無常。根據敵情轉變策略，不要事先確定作戰計劃，而要根據敵人的動向採取相應的對策。衹有這樣，纔能圖謀制勝而無所羈絆，進而輔助天子樹立權威，匡正天下，安定四方。能有如此謀略的人，就可以成爲帝王的老師。

原文　**故曰：莫不貪強①，鮮能守微②，若能守微，乃保其生。聖人③存之，動應事機④，舒之彌四海⑤，捲之不盈懷⑥，居之不以室宅，守之不以城郭⑦，藏之胸臆，而敵國服。**

注釋　①貪強：貪求強大。②鮮能守微：意謂很少有人能夠持守「柔能制剛，弱能制強」的微妙道理。鮮，少。③聖人：指君主。④動應事機：順應事物的變化而行動。事機，事物的規律。⑤舒之彌四海：將其推行開來可以遍佈四海。舒，舒展，引申爲推廣。彌，充滿，遍佈。⑥捲之不盈懷：將其捲藏起來不會裝滿襟懷。捲，收，藏。盈，充滿。⑦郭：外城之牆。

譯文　所以說：沒有人不貪求強大，卻很少有人能夠持守「柔的事物能夠制服剛的事物，弱的事物能夠制服強的事物」這一微妙道理。如果能夠持守這一微妙道理，就可以保住生命。君主掌握此道，行動就能順應事物的變化。將此道理推行開來，可以遍佈四海；將此道理收藏起來，不會充滿整個襟懷。安置此道不需要屋宅，守衛此道不需要城郭。衹要將其藏於心中，就可以使敵國屈服。

原文　**《軍讖》曰：「能柔能剛，其國彌①光；能弱能強，其國彌彰②。純③柔純弱，其國必削④；純剛純強，其國必亡。」**

注釋　①彌：更加。②彰：彰顯。③純：純粹，單純。④削：削弱，衰退。

譯文 《軍讖》上說：「既能用柔，又能用剛，國家的前途就會更加光明；既能用弱，又能用強，國家就會更加顯赫。單純用柔、用弱，國家的實力必然會被削弱；單純用剛、用強，國家必定滅亡。」

原文 **夫爲國之道，恃①賢與民。信賢如腹心，使民如四肢，則策無遺②。所適③如支體相隨，骨節相救，天道自然，其巧無間④。**

注釋 ①恃：依靠。②策無遺：政策不會有缺失。遺，遺漏，缺失。③適：前往，這裏指行動。④間：縫隙。

譯文 治理國家的方法，在於依靠賢人與民衆。信任賢人如同信任自己的心腹，使用民衆如同使用自己的四肢，這樣國家的政策就不會有缺失。行動起來就如同肢體一樣緊密相隨，像骨節一樣相互照應。這就是自然界的規律，工巧微妙，天衣無縫。

原文 **軍國之要，察衆心，施百務①。危者安之，懼者歡之，叛者還②之，冤者原③之，訴者察之，卑者貴之，強者抑之，敵者殘④之，貪者豐之，欲者使之，畏者⑤隱之，謀者近之，讒者覆⑥之，毀者復⑦之，反者廢⑧之，橫⑨者挫之，滿者損之，歸者招之，服者居⑩之，降者脫⑪之。**

注釋 ①百務：泛指各種事務。②還：召還。③原：還原，昭雪。④殘：摧毀。⑤畏者：指怕被別人揭短的人。⑥覆：傾覆。這裏指放棄不用。⑦復：核查。⑧廢：消滅。⑨橫：蠻橫，凶暴。⑩居：安置。⑪脫：寬大處理。

譯文 治軍治國的要義在於體察民衆的心理，並以此來採取各種妥善措施。對於處境危險者，要使其平安無事；對於內心恐懼者，要使其歡愉；對於叛逃者，應將其召還；對於含冤者，要替他平反昭雪；對於申訴者，要調查實情；對於身份卑微者，要使他高貴；對於強橫者，要加以抑制；對於與我爲敵者，要將其摧毀；對於貪婪者，要用財貨使其豐厚；對於願意效勞者，要加以使用；對於怕被人揭短者，要隱諱其短處；對於善於謀劃者，要與之親近；對於愛進讒言者，要廢置不用；對於詆毀他人者，要核查其言語的眞僞；對於謀反者，要將其消滅；對於蠻横凶暴者，要將其挫敗；對於驕傲自滿者，要予以抑制；對於眞心歸附者，要予以招納；對於被征服者，要予以安置；對於投降者，要予以寬大處理。

原文 **獲固守之，獲厄①塞之，獲難②屯之，獲城割之，獲地裂之③，獲財散之。**

注釋 ①厄：險隘之地。②難：難攻之地。③獲城割之，獲地裂之：意謂將攻取的城池、土地劃分給有功人員。割、裂都有劃分的意思。

譯文 攻取堅固之地，要注意防守；攻取險隘之地，要派兵加以阻塞；攻取難攻之地，要屯兵駐守；奪取城邑，要分封給有功之臣；奪取土地，要分賞給有功將士；奪取財貨，要散發給衆人。

原文 **敵動伺①之，敵近備之，敵強下之②，敵佚③去之，敵陵④待之，敵暴綏⑤之，敵悖義之⑥，敵睦攜⑦之，順舉⑧挫之，**

因勢破之，放言過之⑨，四綱羅之⑩。

注釋 ①伺：監視。②敵強下之：敵人強大時要故意向他示弱。③佚：通「逸」。④陵：盛氣淩人。⑤綏：安撫。⑥敵悖義之：當敵人悖逆時要以正義之名來聲討他。⑦攜：分化，離間。⑧順舉：順應敵人的行動。⑨放言過之：散佈虛假消息使敵人出現過失。⑩四綱羅之：四面設網圍剿敵人。綱，拉網所用的繩子，這裏指網。

譯文 當敵人行動時，要對其進行監視；當敵人逼近時，要對其嚴加防範；當敵人強大時，要故意向其示弱；當敵人安逸時，要注意避其鋒芒；當敵人盛氣淩人時，要等待他銳氣消退；當敵人横暴時，要安撫民衆；當敵人做出悖逆之舉，要以正義之名來聲討他；當敵人團結和睦時，要對其進行分化、離間。要順應敵人的行動來挫敗他，因勢利導來擊破他，散佈虛假消息使其犯錯，四面設網對其進行圍剿。

【原文】得而勿有①，居而勿守②，拔③而勿久，立而勿取④，爲者則己，有者則士⑤，焉知利之所在！彼爲諸侯，己爲天子，使城自保，令士⑥自取。

【注釋】①得而勿有：取得勝利不要歸功於自己。②居而勿守：奪得財富不要自己獨占。③拔：攻取。④立而勿取：擁立他國之人爲君，不要取而代之。⑤爲者則己，有者則士：策略出於自己，功勞歸於將士。⑥士：這裏指官吏。

【譯文】取得勝利，不要將功勞歸於自己；獲得財富，不要自己獨占；攻取城池，不要曠日持久；擁立他國之人爲君，不要自己取而代之。決策出於自己，功勞則要歸於將士，哪裏知道利益正在於此！讓他人做諸侯，自己做天子。讓他們保衛各自的城邑，讓官吏們徵收各轄區的賦稅。

【原文】世能祖祖①，鮮能下下②。祖祖爲親，下下爲君。下下者，務耕桑不奪其時③，薄賦斂不匱④其財，罕⑤徭役不使其勞，

則國富而家娭⑥，然後選士以司牧⑦之。夫所謂士者，英雄也。故曰：羅其英雄，則敵國窮⑧。英雄者，國之幹；庶民者，國之本。得其幹，收其本，則政行而無怨。

【注釋】①祖祖：尊敬祖先。第一個「祖」爲動詞，意謂「尊敬」。②下下：愛護民衆。第一個「下」爲動詞，意謂「以禮下人」。③時：農時。④匱：匱乏，耗盡。⑤罕：少。這裏指減少。⑥娭：通「嬉」，歡樂，玩耍。⑦司牧：掌管。⑧窮：困窘。

【譯文】世上的君主都能夠尊敬自己的祖先，卻很少有人能夠愛護下層民衆。尊敬祖先衹是對親人盡了孝道，愛護下層民衆才是爲君之道。愛護自己百姓的君主，能夠使百姓致力於農耕、蠶桑而不耽誤農時，能夠減少賦稅而不使百姓財產匱竭，能夠減少徭役而不使百姓勞苦，這樣國家就會富裕，家庭就會和悅，然後再選派賢士治理他們。所謂的賢士，指的是那些英雄豪傑。所以說：把敵國的英雄網羅過來，敵國就會困窘。英雄豪傑，是國家的骨幹；普通民衆，是國家的根本。

得到骨幹，獲取根本，這樣政令就可以施行，民衆也不會有怨言。

【原文】夫用兵之要，在崇禮而重①祿。禮崇則智士至，祿重則義士輕死②。故祿賢不愛財，賞功不踰時③，則下力並④而敵國削。夫用人之道，尊以爵，贍以財，則士自來；接以禮，勵以義⑤，則士死之⑥。

【注釋】①重：加重。②輕死：輕視死亡。③踰時：超過期限。④力並：同心協力。⑤義：正義。⑥死之：爲主人賣命。

【譯文】用兵的要義，在於推崇禮義、加重俸祿。推崇禮義，有智之士就會到來；加重俸祿，義士就會視死如歸。所以，向賢人賞賜俸祿，不要吝惜錢財；獎賞有功之人，不要超過期限。這樣，下屬就會同心協力，敵國的力量也會因此而受到削弱。用人的方法，是用爵位來尊重他，用財貨來贍養他，這樣賢士就會自動到來；用禮儀來接待他，用正義來激勵他，這樣賢士就會甘願爲主人賣命。

【原文】夫將帥者，必與士卒同滋味而共安危，敵乃可加①。故兵有全勝，敵有全囚②。昔者良將之用兵，有饋簞③醪者，使投諸④河，與士卒同流而飲。夫一簞之醪不能味一河之水，而三軍⑤之士思爲致死者，以滋味之及己也。

【注釋】①加：攻擊。②全囚：使敵人全部被俘。③簞：古時盛酒的竹製器皿。④諸：「之於」的合音字。⑤三軍：指上中下三軍或前中後三軍。泛指全軍。

【譯文】身爲將帥，一定要與士卒同享滋味，共渡安危，這樣就可以對敵人發起進攻。這樣，用兵纔有可能取得全面的勝利，敵人纔有可能全部被俘。從前，有一位良將在用兵作戰的時候，有人送給他一簞醇酒，他便命人將酒倒入河中，然後與士卒共同飲用這河中之水。一簞酒並不能使一條河的水產生酒味，但是三軍將士卻願意爲將領拼死作戰，這是因爲將領能夠與士卒同甘共苦的緣故。

【原文】《軍讖》曰：「軍井未達①，將不言渴；軍幕未辦②，將不言倦；軍竈未炊，將不言飢。冬不服裘③，夏不操扇，雨不張

蓋④，是謂將禮。」與之安，與之危，故其衆可合而不可離，可用而不可疲，以其恩素蓄⑤，謀素和也。故曰：蓄恩不倦，以一取萬⑥。

注釋　①達：實現，完成。②軍幕未辦：軍隊的營帳還沒有搭成。③裘：皮衣。④蓋：古時遮擋陽光的工具，與傘類似。⑤素蓄：平時積蓄。⑥蓄恩不倦，以一取萬：平時不斷給士卒以恩惠，就可以贏得成千上萬名士卒的擁戴。不倦，不斷。

譯文　《軍讖》中說：「軍井沒有挖好，將領就不能說口渴；營帳沒有搭好，將領就不能說疲倦；軍竈沒有做好飯，將領就不能說飢餓。冬天不穿皮衣，夏天不扇扇子，雨天不張設傘蓋，這就是將帥所應遵守的禮儀。」能與士卒同享安樂，共擔危難，所以部衆纔能夠緊密團結而不離散，可以使用而不疲憊，這是因爲將領的恩德平時就在積蓄，將領的意志平時就與士卒相合的緣故。所以說：平時不斷地向士卒施以恩惠，這樣就會贏得成千上萬名士卒的擁戴。

原文　**《軍讖》曰：「將之所以爲威者，號令也；戰之所以全勝者，軍政也；士之所以輕戰①者，用命②也。」故將無還令③，賞罰必信，如天如地④，乃可御⑤人。士卒用命，乃可越境⑥。**

注釋　①輕戰：輕視作戰，能夠勇敢作戰。②用命：服從命令。③還令：收回命令。④如天如地：像天地自然的運行一樣準確無誤、不失其時。⑤御：駕馭，控制。⑥越境：越境作戰。

譯文　《軍讖》中說：「將領之所以有威嚴，是因爲他掌握着發號施令的大權；作戰之所以能夠取得全面勝利，是因爲軍隊管理嚴整有序；士卒之所以勇於作戰，是因爲服從命令。」所以，將領不能有收回的命令，賞罰一定要守信，就像天地運行那樣不差毫厘，這樣纔能駕馭衆人。士卒服從命令，纔可以越境作戰。

原文　**夫統軍持勢①者，將也；制勝破敵者，衆也。故亂將不可使保軍②，乖衆③不可使伐人。攻城則不拔，圖邑則不廢。二者無功，則士力疲弊。士力疲弊，則將孤衆悖④，以守則不固，**

以戰則奔北⑤，是謂老兵⑥。兵老則將威不行，將無威則士卒輕刑⑦，士卒輕刑則軍失伍⑧，軍失伍則士卒逃亡，士卒逃亡則敵乘利，敵乘利則軍必喪。

注釋 ①統軍持勢：統率軍隊，把握作戰形勢。②保軍：保護軍隊。這裏指統率軍隊。③乖衆：不服從將領指揮的兵衆。乖，違背，背離。④將孤衆悖：將領孤立，士卒不聽從指揮。⑤北：敗北。⑥老兵：因久戰而疲勞的軍隊。⑦輕刑：輕視刑罰。⑧失伍：軍隊失去章法，變得混亂。

譯文 負責統率軍隊、把握形勢的是將領；負責爭取勝利、擊敗敵人的是士卒。所以，治軍無方的將領，不可以讓他統領軍隊；不服從命令的士卒，不可以用來討伐敵人。像這樣的軍隊，攻打城池，無法將其攻克；圖謀城邑，無法將其摧毀。攻城、奪邑都徒勞無功，士卒就會疲憊。士卒疲憊，就會出現將領受到孤立、兵衆不聽從命令的局面。如果使用這樣的軍隊，防守必定不會堅固，作戰必定會敗逃，這就稱爲久戰疲憊之軍。軍隊久戰疲憊，將領的威嚴就不能發揮作用；將領失去威嚴，士卒就會輕視刑罰；士卒輕視刑罰，軍隊就會混亂；軍隊混亂，士卒就會逃亡；士卒逃亡，敵人就會乘機取利；敵人乘機取利，軍隊就必然走向敗亡。

原文 **《軍讖》曰：「良將之統軍也，恕己而治人①。推惠施恩，士力日新②，戰如風發，攻如河決。」故其衆可望而不可當③，可下④而不可勝。以身先人，故其兵爲天下雄。**

注釋 ①恕己而治人：像愛護自己一樣管理士卒。②日新：日日更新。這裏指日漸強大。③當：抵擋，阻擋。④下：這裏指投降。

譯文 《軍讖》中說：「良將統率軍隊，會像愛護自己一樣愛護士卒。推行恩惠，廣施恩德，士卒的力量就會日漸增強。這樣的軍隊，投入戰鬥就會像狂風一樣迅疾，攻擊敵人就會像大河決堤一樣勢不可擋。」所以，面對這樣的軍隊，衹能遠遠觀望而不能抵擋，衹能向其投降而不能將其戰勝。將領若能身先士卒，那麼他所率領的軍隊就能稱雄於天下。

原文 《軍讖》曰：「軍以賞爲表，以罰爲裏①。」賞罰明，則將威行；官人得②，則士卒服；所任賢③，則敵國震。

注釋 ①以賞爲表，以罰爲裏：指賞罰相輔相成，缺一不可。②官人得：用人得當。官，授予官職。③所任賢：所任用的官吏賢能。

譯文 《軍讖》中說：「治軍以獎賞爲表，以懲罰爲裏。」賞罰嚴明，將領的威嚴就會樹立起來；用人得當，士卒就會信服；所任用的人才賢能通達，敵國就會受到震動。

原文 《軍讖》曰：「賢者所適，其前無敵。」故士可下①而不可驕，將可樂而不可憂，謀可深而不可疑②。士驕則下不順，將憂則內外③不相信，謀疑則敵國奮④。以此攻伐，則致亂。夫將者，國之命也。將能制勝，則國家安定。

注釋 ①下：謙恭待下。②謀可深而不可疑：謀劃可以深思熟慮，但不可猶疑不決。③內外：指身處朝廷的國君和領兵在外的將帥。④奮：奮起。這裏指進擊。

譯文 《軍讖》中說：「賢人所前往的國家，一定所向無敵。」所以，對待士人可以謙下而不可驕傲，對待將領可以使其愉悅而不可使其有所隱憂，對於計謀可以深思熟慮但不可猶疑不決。對士人驕傲，下屬就不會順服；將領心有隱憂，國君和將領之間就會互不信任；對於計謀採取遲疑的態度，敵國就會奮起進擊。在這種情況下攻伐敵人，勢必會招致禍亂。將帥，維繫着國家的命脈。將帥能夠克敵制勝，國家纔會安定。

原文 《軍讖》曰：「將能清，能靜，能平，能整，能受諫，能聽訟，能納人，能採言，能知國俗，能圖山川①，能表險難，能制軍權。」故曰：仁賢之智，聖明之慮，負薪②之言，廊廟③之語，興衰之事，將所宜聞。

注釋　①圖山川：能把山川繪成圖畫。意謂對山川了如指掌。②負薪：揹負柴草的人，代指下層人民。③廊廟：君主的宗廟，代指朝廷。這裏指在朝爲官之人。

譯文　《軍讖》中說：「身爲將領，應該能夠清廉，能夠冷靜，能夠公平，能夠嚴整，能夠接受勸諫，能夠裁決爭訟，能夠容納人才，能夠採納建議，能夠瞭解國家的風俗，能夠對山川形勢了如指掌，能夠明察地形險阻，能夠掌控軍隊權柄。」所以說：仁者、賢士的智慧，聖明之人的謀慮，下層民衆的言論，朝廷之中的商議，國家興亡的歷史教訓，這些都是將領應該瞭解的。

原文　**將者能思士如渴，則策從①焉。夫將拒諫，則英雄散；策不從，則謀士叛；善惡同②，則功臣倦③；專己④，則下歸咎；自伐，則下少功⑤；信讒，則衆離心；貪財，則奸不禁；內顧，則士卒淫⑥。將有一，則衆不服；有二，則軍無式⑦；有三，則下奔北；有四，則禍及國。**

注釋　①策從：聽從賢士的策略。②善惡同：善惡不分。同，混同。③倦：消極怠慢。④專己：獨斷專行。⑤自伐，則下少功：將領自我誇耀，下屬就不願建立功勛。伐，誇耀。⑥內顧，則士卒淫：將領如果迷戀妻子，士卒就會淫亂。內顧，眷戀家中的妻子。⑦式：法則，紀律。

譯文　將領如果能夠求賢若渴，那麼賢士的策略也會被採納。如果將領拒絕納諫，那麼英雄豪傑也會離散；如果策略沒有得到採納，那麼謀士就會叛離；如果將領善惡不分，那麼功臣就會消極怠慢；如果將領獨斷專行，那麼下屬就會歸咎於他；如果將領自我誇耀，那麼下屬就不願建立功勛；如果將領聽信讒言，那麼衆人就會與他離心離德；如果將領貪圖財貨，那麼奸邪之事就無從禁止；如果將領迷戀家中的妻子，那麼士卒就會淫亂無度。上述錯誤，將領如果占據一項，衆人就不會信服他；占據兩項，軍隊就會失去紀律的約束；占據三項，士卒就會潰敗逃散；占據四項，禍患就會危及國家。

軍讖有曰軍中無財則士卒不來軍中無賞則士卒不往上言財入營則衆奸會乃爲將貪求私取之財也此言軍無財士不來乃爲國積聚公用之財也

原文 《軍讖》曰：「將謀欲密，士衆欲一，攻敵欲疾。」將謀密，則奸心閉①；士衆一，則軍心結；攻敵疾，則備不及設②。軍有此三者，則計不奪③。將謀泄，則軍無勢④；外窺內⑤，則禍不制⑥；財入營⑦，則衆奸會。將有此三者，軍必敗。

注釋 ①奸心閉：敵方奸細刺探我軍軍情的想法不會得逞。閉，閉塞不通。②備不及設：防備措施來不及設置。③奪：被挫傷。④勢：威勢。⑤外窺內：外部的敵人窺視我軍內部情況。⑥制：遏制。⑦財入營：財貨進入軍營。財，這裏指賄賂的財貨。

譯文 《軍讖》中說：「將領的謀劃要隱秘，士卒要團結一致，攻擊敵人要力求迅疾。」將領謀劃隱秘，那麼敵軍奸細打探我軍情況的想法就不能得逞；士卒團結一致，那麼軍隊就會同心同德；攻擊敵人迅疾而猛烈，敵人就來不及防範。軍隊有了這三個條件，計劃就不會受到挫折。將領如果泄露機密，軍隊就會失去威勢；外敵窺視我軍內部情況，災禍就無法遏制；賄賂的錢財進入軍營，各種奸邪之事就會紛至沓來。將領如果犯下這三種錯誤，軍隊必敗無疑。

原文 將無慮，則謀士去；將無勇，則吏士恐；將妄動，則軍不重①；將遷怒②，則一軍懼。《軍讖》曰：「慮也，勇也，將之所重；動也，怒也，將之所用。」此四者，將之明誡③也。

注釋 ①重：沈穩持重。②遷怒：把怒氣發泄到別人身上。③誡：告誡。

譯文 將領不深謀遠慮，謀士就會離去；將領不勇敢，官兵就會惶恐不安；將領輕舉妄動，軍隊就不會沈穩持重；將領遷怒於人，全軍將士都會恐懼。《軍讖》中說：「深謀遠慮，勇猛頑強，是將領所應具備的重要品質；當動則動，當怒則怒，是將領所應掌握的用兵之道。」這四點，是將領應該明確告誡自己的。

原文 《軍讖》曰：「軍無財，士不來；軍無賞，士不往。」《軍讖》曰：「香餌之下，必有懸魚①；重賞之下，必有死夫②。」故禮③者，士之所歸；賞者，士之所死④。招其所歸，示其所死，則所求者至。故禮而後悔者，士不止⑤；賞而後悔者，士不使。禮賞不倦，則士爭死。

注釋 ①懸魚：懸在釣鉤上的魚。②死夫：敢於效死之人。③禮：以禮相待。④士之所死：士人甘願效死的原因。⑤止：留住。

譯文 《軍讖》中說：「軍隊沒有錢財，士人就不會前來投奔；軍隊沒有獎賞，士人就不會勇往直前。」《軍讖》又說：「在美味魚餌的引誘下，必定有上鉤的魚兒；在重賞的引誘下，必定有敢於效死的勇士。」所以，以禮待人，是士人歸附的原因，頒發獎賞，是士人效死的原因。用禮儀招引士人歸附，用獎賞誘使士人效死，這樣，軍隊所需要的人才就會自動前來。所以，如果將領先對士人以禮相待，後來又反悔，那麼士人就不會被留住；如果將領先對士人施以重賞，後來又反悔，那麼士人就不會聽從驅使。如果不斷地用禮儀和獎賞來對待士人，那麼士人就會爭相以死相報。

原文 《軍讖》曰：「興師之國，務先隆恩①；攻取之國，務先養民。」以寡勝眾者，恩也；以弱勝強者，民也。故良將之養士，不易於身②，故能使三軍如一心，則其勝可全。

注釋 ①隆恩：廣施恩澤。隆，盛大。②不易於身：就像愛護自己的身體一樣。易，改變。

譯文 《軍讖》中說：「準備興兵作戰的國家，一定要先廣施恩澤；準備攻打敵國的國家，一定要先蓄養百姓。」以少勝多，是因爲廣施恩澤；以弱勝強，是因爲有百姓的支持。所以，良將愛護手下的士卒，就像愛護自己的身體一樣，所以能夠使三軍將士同心同德，從而取得全面的勝利。

原文 《軍讖》曰：「用兵之要，必先察敵情。視其倉庫，度①其糧食，卜②其強弱，察其天地，伺其空隙。」故國無軍旅之難而運糧者，虛也；民菜色③者，窮也。千里饋④糧，民有飢色；樵蘇後爨⑤，師不宿飽⑥。夫運糧千里，無一年之食；二千里，

無二年之食；三千里，無三年之食，是謂國虛。國虛則民貧，民貧則上下不親。敵攻其外，民盜其內，是謂必潰。

【注釋】①度：揣度，估計。②卜：占卜。這裏指估計。③菜色：指飢民以野菜充飢而營養不良的面色。④饋：運輸。⑤爨：燒火做飯。⑥宿飽：經常吃飽。

【譯文】《軍讖》中說：「用兵的要義在於，一定要事先洞察敵情。觀察敵軍的倉庫，估算庫存的糧食，估計軍隊實力的強弱，觀察天時地利，尋找其漏洞。」所以，國家沒有遭受戰爭的苦難卻忙於運輸糧食，一定是因爲內部空虛；百姓面有菜色，是因爲國窮民困。不遠千里運輸糧食，百姓就會面黄肌瘦；臨時打柴割草，再燒火做飯，軍隊就會經常吃不飽。從千里之外運糧，說明國家缺少一年的糧食；從兩千里之外運糧，說明國家缺少兩年的糧食；從三千里之外運糧，說明國家缺少三年的糧食。這些情況，正是國力空虛的表現。國力空虛，百姓就會貧困；百姓貧困，君民之間就不會和睦。敵人從外面進攻，百姓

在內部作亂，這意味着國家勢必崩潰。

【原文】**《軍讖》曰：「上行虐則下急刻①。賦斂重數②，刑罰無極③，民相殘賊④。是謂亡國。」**

【注釋】①急刻：峻急，苛刻。②重數：沉重而頻繁。數，屢次，頻繁。③無極：無盡。④賊：殘害。

【譯文】《軍讖》中說：「君主做出暴虐之事，下級官吏就會峻急苛刻。賦稅繁重，各種刑罰濫用不止，百姓就會相互殘害。這就是所謂的亡國之兆。」

【原文】**《軍讖》曰：「內貪外廉，詐譽取名①；竊公爲恩②，令上下昏；飾躬正顏③，以獲高官。是謂盜端④。」**

【注釋】①詐譽取名：用欺騙的手段取得美名。②竊公爲恩：竊取公家的財貨樹立自己的恩德。③飾躬正顏：僞裝本性，假作正派。④盜端：禍亂的源頭。

【譯文】《軍讖》中說：「內心貪婪而外表清廉，以欺騙的手段取得美

名，竊取公家的財物樹立自己的恩德，使君臣上下昏聵不明，僞裝自
己，假作正派，以獲取高官。這就是所謂禍亂的源頭。」

原文　**《軍讖》曰：「群吏朋黨①，各進所親，招舉奸枉，抑挫②仁賢，背公立私，同位相訕③。是謂亂源。」**

注釋　①朋黨：以爭權奪利、排斥異己爲目的而形成的利益集團。這裏指結黨營私。②抑挫：壓制，挫傷。③訕：誹謗。

譯文　《軍讖》中說：「官吏結黨營私，紛紛引進自己的親信，招納奸邪之人，打壓仁者、賢士，背棄公理而牟取私利，同僚之間相互誹謗。這就是所謂的禍亂之源。」

原文　**《軍讖》曰：「強宗聚奸①，無位而尊，威無不震。葛藟相連②，種③德立恩，奪在位權。侵侮下民，國內嘩喧，臣蔽不言④。是謂亂根。」**

注釋　①強宗聚奸：豪門大族相聚爲奸。強宗，指豪門大族。②葛藟相連：藤蔓纏繞，形容豪門大族盤根錯節的關係。葛、藟，都是藤本植物。③種：樹立。④蔽不言：隱蔽而不直言。

譯文　《軍讖》中說：「豪門大族結黨營私，相聚爲奸，沒有官位卻妄自尊大，其威勢無人不懼。他們之間的關係如同藤蔓一樣盤根錯節，不斷樹立個人恩德之名，企圖侵奪君權。他們還欺凌下層百姓，致使國內怨聲載道，而群臣卻隱瞞事情，不敢直言。這就是所謂的禍亂之根。」

原文　**《軍讖》曰：「世世作奸，侵盜縣官①，進退求便，委曲弄文②，以危其君。是謂國奸。」**

注釋　①縣官：這裏指朝中官吏。②委曲弄文：詭辯矯飾，舞文弄墨。委曲，不直，不正。

譯文　《軍讖》中說：「世世代代作奸犯科，侵害朝中官吏，無論前進後退都祇爲自己謀求便利，詭辯矯飾，舞文弄墨，以此來危害國君。這就是所謂的國家奸臣。」

原文　**《軍讖》曰：「吏多民寡，尊卑相若①，強弱相虜②，莫**

適禁禦③，延及君子，國受其咎④。」

注釋 ①相若：等同。②虜：掠奪。③莫適禁禦：無從禁止。④咎：這裏指危害、災禍。

譯文 《軍讖》中說：「官多民少，沒有尊卑之分，以強淩弱，無從禁止，禍患危及君子，國家也將遭受危害。」

原文 《軍讖》曰：「善善①不進，惡惡②不退，賢者隱蔽，不肖③在位，國受其害。」

注釋 ①善善：稱讚好人。第一個「善」是動詞，稱善。②惡惡：厭惡惡人。第一個「惡」是動詞，厭惡。③不肖：無才無德者。

譯文 《軍讖》中說：「稱讚好人卻不加以任用，厭惡惡人卻不將其貶退。賢者隱居，無德無才者在位當權，國家必定深受其害。」

原文 《軍讖》曰：「枝葉①強大，比周居勢②，卑賤陵貴③，久而益大，上不忍廢，國受其敗。」

注釋 ①枝葉：指王權的藩輔。古人以王權爲根本，以藩輔爲枝葉。②居勢：占據重要位置。③卑賤陵貴：欺下犯上。

譯文 《軍讖》中說：「藩輔勢力強大，結黨營私，占據高位，欺下犯上，時間越久勢力就越大，而國君又不忍心將其廢除，這樣國家必定會遭到敗壞。」

原文 《軍讖》曰：「佞臣①在上，一軍皆訟。引威自與②，動違於眾。無進無退③，苟然取容④。專任自己，舉措伐功⑤。誹謗盛德，誣述庸庸⑥。無善無惡⑦，皆與己同。稽留行事⑧，命令不通。造作奇政⑨，變古易常⑩。君用佞人，必受禍殃。」

注釋 ①佞臣：諂媚取寵的奸臣。②自與：自詡，自誇。③無進無退：指做事沒有原則。④取容：愉悅於人。⑤伐功：自我誇耀功勞。⑥庸庸：平庸之人。⑦無善無惡：不分善惡。⑧稽留行事：積壓政務。⑨造作奇政：制定不合常規的政令，以此來標新立異。⑩變古易常：變更古制、常法。

〔譯文〕《軍讖》中說：「諂媚取寵之人當權，全軍上下都會對其加以指控。他們依仗權勢自我誇耀，一舉一動都與衆人的意志相違背。他們做事沒有原則，衹會苟且諂媚，取悅於君主。他們專橫跋扈，剛愎自用，一舉一動都要誇耀自己的功勞。他們誹謗具有高尚品德之人，誣蔑其爲平庸之人。他們善惡不分，衹求他人與自己意見相同。他們積壓政務，使命令無法傳達。他們還標新立異，制定不合常理的政令，改變古制、常法。君主如果任用這樣的奸佞小人，必定會遭受禍殃。」

〔原文〕**《軍讖》曰：「奸雄①相稱，障蔽主明②；毀譽③並興，壅塞主聰④。各阿⑤所私，令主失忠。」**

〔注釋〕①奸雄：奸人當中的魁首，也指占據高位、欺世弄權之人。②障蔽主明：遮蔽君主的眼睛。明，視覺。③毀譽：詆毀和讚譽。④壅塞主聰：堵塞君主的耳朵。聰，聽覺。⑤阿：偏袒。

〔譯文〕《軍讖》中說：「奸人相互稱讚，遮蔽君主的眼睛；詆毀和贊譽同時出現，堵塞了君主的耳朵。奸人袒護各自的親信，使君主失去了忠臣的輔佐。」

〔原文〕**故主察異言①，乃睹其萌②；主聘儒賢，奸雄乃遁③；主任舊齒④，萬事乃理；主聘岩穴⑤，士乃得實⑥；謀及負薪⑦，功乃可述⑧；不失人心，德乃洋溢。**

〔注釋〕①異言：顛倒是非的詭辯之言。②萌：萌芽。③遁：隱藏，逃遁。④舊齒：指故舊老臣。⑤岩穴：隱士居住之所。這裏指居住在深山裏的隱士。⑥士乃得實：能夠得到有真才實學的賢士。⑦謀及負薪：君主進行謀劃，應傾聽普通百姓的意見。負薪，指負薪柴的人，這裏泛指下層民衆。⑧述：將功勛書寫於冊。

〔譯文〕所以，君主明察顛倒是非之言，就可以看到禍亂的萌芽；君主聘用儒士賢才，奸佞之人就會逃遁；君主任用故舊老臣，繁雜的事務就可以處理得井井有條；君主聘用深山裏的隱士，就可以得到有眞才實學的賢士；君主在謀劃政事時能夠傾聽下層民衆的意見，其功績就可以載入史冊；君主不失去人心，他的德行就可以傳佈四方。

中略

原文 **夫三皇①無言而化流四海②，故天下無所歸功。**

注釋 ①三皇：傳説中的遠古帝王，歷來説法不一。根據文獻記載，主要有以下幾種説法：一，天皇、地皇、人皇；二，天皇、地皇、泰皇；三，伏羲、女媧、神農；四，伏羲、神農、共工；五，伏羲、神農、祝融；六，燧人、伏羲、神農。②四海：古人認爲中國被大海所環繞，故以「四海」代指中國四境。

譯文 上古時期的三皇不用言語，其教化卻能流佈四海，所以天下

人都不知道這功勞應該歸於誰。

原文 **帝①者，體天則地②，有言有令，而天下太平。君臣讓功，四海化行，百姓不知其所以然。故使臣不待禮賞有功，美而無害。**

注釋 ①帝：指五帝，傳説中上古時期的五位帝王，一般指黄帝、顓頊、帝嚳、堯、舜。②體天則地：取法天地。體，取法。

譯文 上古時期的「五帝」取法天地，設立教化，施行政令，而使天下太平無事。君臣之間相互推讓功勞，四海之內教化得以推行，百姓不知道爲什麼會這樣。所以，使用臣下而不需要憑借禮法獎賞其功勞，就可以使君臣的關係和諧無間。

原文 **王①者，制人以道，降心服志，設矩備衰②，四海會同③，王職④不廢，雖有甲兵之備，而無鬥戰之患。君無疑於臣，臣無疑於主，國定主安，臣以義退⑤，亦能美而無害。**

注釋 ①王：指三王，即夏、商、周三代的開國君主，即夏禹、商湯、周武王。②設矩備衰：設立規矩、法度以防備衰敗。③會同：古代諸侯朝見天子。④王職：天子的職權。⑤義退：功成身退。

譯文 夏、商、周三代的開國君主，用道德來治理民衆，取得人心，並設立法度以防衰敗。那時候，四方諸侯都來朝見天子，天子的職權沒有廢弛。儘管有軍事方面的準備，卻沒有戰爭的禍患。君主不懷疑臣子，臣子不懷疑君主。國家安定而君主平安，臣子便功成身退，君臣之間依然能夠和諧無間。

原文 **霸①者，制②士以權③，結士以信，使士以賞。信衰則士疏，賞虧則士不用命。**

注釋 ①霸：指春秋時期先後稱霸的五位諸侯，歷來說法不一。一般指齊桓公、晉文公、宋襄公、秦穆公、楚莊王。一說指齊桓公、晉文公、楚莊王、吳王闔閭、越王勾踐。②制：駕馭。③權：權謀，權術。

譯文 春秋時期的「五霸」，用權術來駕馭士人，用信義來結交士人，用獎賞來役使士人。信義一旦衰微，士人就會與之疏遠；獎賞一旦減少，士人就不會效命。

原文 **《軍勢》①曰：「出軍行師，將在自專②。進退內御③，則功難成。」**

注釋 ①《軍勢》：相傳爲古代兵書，已經失傳。②自專：指將領自行決斷的權力。③內御：受到國內君主的控制。

譯文 《軍勢》中說：「率領軍隊外出作戰，將領要有獨立決斷的權力。如果前進後退都受制於君主，那麼將領就難以取得戰功。」

原文 **《軍勢》曰：「使智，使勇，使貪，使愚：智者樂立其功，勇者好行其志，貪者邀趨①其利，愚者不顧其死。因其至情而用之②，此軍之微權③也。」**

注釋 ①趨：向。②因其至情而用之：根據他們各自的情況來加以使用。③微權：微妙的權術。

譯文 《軍勢》中說：「使用智者，使用勇者，使用貪婪者，使用愚笨者，其方法各不相同：智者喜歡建立自己的功業，勇者喜歡實現自己的志向，貪婪者極力追求利益，愚笨者不顧自己的性命。根據他們各自的情況加以使用，這就是軍中用人的微妙權術。」

原文 **《軍勢》曰：「無使辯士談說敵美①，爲其惑衆；無使仁者主財②，爲其多施而附於下③。」**

注釋 ①敵美：敵人的長處。②主財：主管財務。③附於下：附和下屬。

譯文 《軍勢》中說：「不要讓能言善辯的人談論敵人的長處，因爲這樣會惑亂軍心；不要讓仁厚之人管理財務，因爲他會過多地施捨錢財而附和下屬。」

原文 **《軍勢》曰：「禁巫祝①，不得爲吏士卜問軍之吉凶。」**

注釋 ①巫祝：古代負責占卜、祝禱的神職人員。

哀公問儒道
春秋時期，魯哀公問儒道，孔子曰：「儒有席上之珍以待聘，夙夜強學以待問，懷忠信以待舉。」又曰：「儒不寶金玉而以忠信爲寶，不求多積以道德爲富，其儒行有如此也。」

【譯文】《軍勢》中說：「禁止巫祝的活動，不得為將士卜問軍事的吉凶禍福。」

【原文】**《軍勢》曰：「使義士①不以財。故義者不為不仁者死，智者不為暗主②謀。」**

【注釋】①義士：這裏指有節操的人。②暗主：愚昧昏庸的君主。

【譯文】《軍勢》中說：「役使有節操的義士，不能依靠財貨。因為，義士不為不仁義的人效命，智者不為愚昧昏庸的君主出謀劃策。」

【原文】**主不可以無德，無德則臣叛；不可以無威，無威則失權。臣不可以無德，無德則無以事君；不可以無威，無威則國弱，威多則身蹶①。**

【注釋】①蹶：跌倒，敗亡。

【譯文】君主不可以沒有道德，如果沒有道德，臣下就會反叛；君主不可以沒有威勢，如果沒有威勢，就會失去大權。臣下不可以沒有道德，如果沒有道德，就不足以侍奉君主。臣下不可以沒有威勢，如果沒有威勢，國家就會衰落；但如果威勢過頭，自身就會敗亡。

【原文】**故聖王御世，觀盛衰，度得失，而為之制。故諸侯二師，方伯①三師，天子六師。世亂則叛逆生，王澤②竭則盟誓相誅伐。德同勢敵③，無以相傾，乃攬英雄之心，與眾同好惡，然後加之以權變。故非計策無以決嫌④定疑，非譎奇⑤無以破奸息寇，非陰謀無以成功。**

【注釋】①方伯：古時一方諸侯之長。②澤：恩澤。③勢敵：勢均力敵。④嫌：嫌疑。⑤譎奇：詭詐多變。

【譯文】所以，聖明的君王治理天下，要觀察世事的盛衰，揣度執政的得失，從而設立制度。所以，諸侯擁有二軍，方伯擁有三軍，天子擁有六軍。世道混亂，就會出現叛逆之事；天子的恩澤枯竭，各國諸侯就會結盟發誓，相互誅伐。敵對雙方文德相同，軍事上勢均力敵，都無法擊潰對方，於是收攬英雄豪傑之心，並與眾人保持相同的好惡，然後再使用權謀之術。所以，不使用計策，就無法決斷嫌疑之事；不

封之於朝使極人臣之位以彰顯其功興之中州善國使納貢賦以富其家賜之美女珍玩以娛悅其心此漢光武宋太祖保全功臣之術非上古聖帝明王所以保全功臣之道

使用詭詐多變的手段，就無法打擊奸人，消滅敵寇；不施展密謀，就無法取得成功。

【原文】**聖人體天①，賢者法地②，智者師古③。是故《三略》爲衰世作。《上略》設禮賞，别奸雄，著④成敗。《中略》差⑤德行，審權變。《下略》陳道德，察安危，明賊賢之咎。故人主深曉《上略》，則能任賢擒敵；深曉《中略》，則能御將統衆；深曉《下略》，則能明盛衰之源，審治國之紀。人臣深曉《中略》，則能全⑥功保身。**

【注釋】①體天：尊奉天道。②法地：效法地道。③師古：以古爲師。④著：彰顯，揭示。⑤差：區分等級。⑥全：保全。

【譯文】聖人尊奉天道，賢人效法地道，智者以古爲師。所以，《三略》是針對衰落的世道而作的。《上略》的內容是設立禮儀、獎賞，辨别奸雄，彰明成敗之理。《中略》的內容是區分德行的等級，審視權變。《下略》的內容是陳述道德，考察安危，彰明殘害賢人的罪過。

所以，君主深通《上略》，就可以任用賢人，擒獲敵軍；深通《中略》，就可以駕馭將帥，統領兵衆；深通《下略》，就可以洞徹世道盛衰的根源，明白治國的原則。臣子深通《中略》，就可以保全功業以及自身性命。

【原文】**夫高鳥死，良弓藏；敵國滅，謀臣亡。亡者，非喪其身也，謂奪其威，廢其權也。封之於朝，極人臣之位，以顯其功；中州善國①，以富其家；美色珍玩，以説②其心。**

【注釋】①中州善國：指中原地區肥沃富饒的土地。②説：通「悦」。

【譯文】在空中高飛的鳥死了，優良的弓箭就要被收藏起來；敵國滅亡，謀臣就要被除掉。所謂的除掉，並不是指結束他的生命，而是指削除他的威勢，廢除他的權力。在朝廷上對他進行封賞，讓他在群臣中處於最高的地位，以彰顯他的功勞；封給他中原地區肥沃富饒的土地，使他家庭富有；賞賜給他美女、珍寶，使他心情愉悦。

原文 **夫人眾一合而不可卒①離，威權一與而不可卒移②。還師罷軍，存亡之階③。故弱之以位，奪之以國④，是謂霸者之略。故霸者之作⑤，其論駁⑥也。存社稷⑦、羅英雄者，《中略》之勢也。故世主⑧秘焉。**

注釋 ①卒：通「猝」，突然。②移：改變。③階：關鍵時刻。④國：封地。⑤作：興起。⑥駁：駁雜，複雜。⑦社稷：原指君主所供奉的土地之神和穀神，後代指國家政權。羅：網羅，招攬。⑧世主：歷代君主。

譯文 兵眾一旦聚合，就不能突然解散；軍權一旦授予，就不能突然收回。戰爭結束以後，將領班師回朝，這時正是決定國君生死存亡的關鍵時刻。所以，要用官爵來削弱將帥的勢力，要用封地來奪取他的權力，這就是霸主的策略。所以，霸主的興起，其道理是非常複雜的。保全國家政權，網羅英雄豪傑，都是《中略》所論述的內容。所以，歷代君主都對此秘而不宣。

下略

原文 **夫能扶①天下之危者，則據天下之安；能除天下之憂者，則享天下之樂；能救天下之禍者，則獲天下之福。故澤及於民，則賢人歸之；澤及昆蟲②，則聖人歸之。賢人所歸，則其國強；聖人所歸，則六合③同。求賢以德，致聖以道。賢去，則國微；聖去，則國乖④。微者危之階⑤，乖者亡之徵。**

注釋 ①扶：扶助。②昆蟲：蟲類。這裏泛指萬物。③六合：指天地、四方。這裏指天下。④乖：混亂，不和諧。⑤階：途徑。

譯文 能夠匡扶天下於危難之中的人，就能夠擁有天下的安寧；能夠消除天下憂患的人，就能夠享受天下的歡樂；能夠拯救天下於禍亂之中的人，就能夠獲得天下的福祉。所以，恩澤施與萬民，賢人就會前來歸附；恩澤施與萬物，聖人就會前來歸附。賢人前來歸附，國家就會強盛；聖人前來歸附，天下就會統一。尋求賢人要依靠德行，招攬聖人則要躬行正道。賢人離去，國勢就會衰微；聖人離去，國家就會混亂。衰微是通向危險的階梯，混亂是招致敗亡的徵兆。

原文 賢人之政，降人以體①；聖人之政，降人以心。體降可以圖始②，心降可以保終。降體以禮，降心以樂③。所謂樂者，非金石絲竹④也，謂人樂其家，謂人樂其族，謂人樂其業，謂人樂其都邑，謂人樂其政令，謂人樂其道德。如此君人⑤者，乃作樂以節⑥之，使不失其和。故有德之君，以樂樂人；無德之君，以樂樂身。樂人者，久而長；樂身者，不久而亡。

注釋 ①降人以體：用自身的行動來降服他人。②圖始：圖謀事情的開端。③樂：樂教，指古代統治階級爲了維護等級制度、鞏固統治而制定的一整套音樂制度。④金石絲竹：均爲古代樂器。金石，指鐘磬一類打擊樂器。絲竹，指弦樂器和管樂器。⑤君人：作爲民衆的君主，治理民衆。⑥節：節制。這裏意爲陶冶。

澤及枯骨

周文王有一次在野外行走，見到一些枯骨散落於田野間，暴露未被掩埋，便叫隨行人員去把枯骨埋掉。隨行人員說：「這也不知是誰家的屍骨，大概已經無主了。」周文王說道：「天子有天下，就是天下的主人。諸侯有一國，就是一國的主人。這些枯骨暴露於我周國之野，我是周王，當然是這枯骨的家主，自然應該由我負責掩埋。」左右聽此一說，便趕緊去將枯骨掩埋了。天下的諸侯聞聽周文王能行如此仁德，紛紛歸附於他。

【譯文】賢人主政，用自身的行動來征服人民；聖人主政，用摯誠之心來感化人民。人民在行動上順服，就可以圖謀創業；人民發自內心地順服，就可以善始善終。使人在行動上順服，要依靠禮教；使人發自內心地順服，要依靠樂教。所謂的樂教，並不是指金石絲竹等樂器，而是指人們熱愛自己的家庭，熱愛自己的宗族，熱愛自己的職業，熱愛自己所居住的都邑，擁護統治者所發佈的政令，講究道德規範。像這樣治理民衆，就要推行樂教以陶冶性情，使民衆不失和諧。所以，有德之君用音樂來使民衆歡愉，無德之君則用音樂來使自己歡愉。使民衆歡愉，國家就會長治久安；使自己歡愉，國家不久便會滅亡。

【原文】**釋近謀遠①者，勞而無功；釋遠謀近者，佚而有終。佚政②多忠臣，勞政③多怨民。故曰：務廣地者荒，務廣德者強。能有其有者安，貪人之有者殘。殘滅④之政，累世⑤受患。造作過制⑥，雖成必敗。**

【注釋】①釋近謀遠：捨近求遠。②佚政：使人民得到休養生息的政策。③勞政：勞民傷財的政策。④殘滅：殘酷而暴虐。⑤累世：世世代代。⑥過制：超過限度。

【譯文】捨近求遠的人，勞而無功；捨遠求近的人，安逸而終有成效。施行休養生息的政策，就會出現很多忠臣；施行勞民傷財的政策，就會出現很多心存怨恨的百姓。所以說：力求擴張領土，內政就會荒廢；力求廣施恩德，國家就會強盛。能夠擁有自己應該擁有的東西，就能平平安安；貪圖他人所擁有的東西，就會殘敗。施行殘酷暴虐的政治，世世代代都會遭受禍患。所作所爲超過了限度，即使取得了暫時的成功，最終也必然失敗。

【原文】**捨己而教人者逆①，正己而教人者順。逆者亂之招，順者治之要。**

【注釋】①捨己而教人者逆：不進行自我教育而去教育別人，這種做法將行不通。逆，不順。

【譯文】不加強自身修養而去教育別人，這種做法必然行不通；先端正自己再去教育別人，這樣纔順應常理。違背常理，是招致禍患的原因；順應常理，是安定國家的關鍵所在。

原文 **道、德、仁、義、禮，五者一體也。道者，人之所蹈①；德者，人之所得；仁者，人之所親。義者，人之所宜；禮者，人之所體。不可無一焉。故夙興夜寐②，禮之制也；討賊報仇，義之決也；惻隱③之心，仁之發也；得己得人，德之路也；使人均平，不失其所，道之化也。**

注釋 ①蹈：踐行。②夙興夜寐：早起晚睡。這裏指人們的日常活動。夙，早。興，起來。寐，睡覺。③惻隱：憐憫。

譯文 道、德、仁、義、禮，這五者是相互聯繫的整體。「道」，是人們所踐行的；「德」，是人們所願意擁有的；「仁」，是人們所願意親近的；「義」，是適合人們去做的；「禮」，是人們應該身體力行的。這五個方面缺一不可。所以，人們從早到晚的活動都要受到「禮」的制約；討賊報仇，是根據「義」作出的決斷；產生惻隱之心，是發於「仁」的本性；使自己和他人都得到滿足，是修行「德」的途徑；使人們均齊平等，各得其所，是「道」的教化。

原文 **出君下臣①名曰命，施之竹帛②名曰令，奉而行之名曰政。夫命失，則令不行；令不行，則政不正；政不正，則道不通；道不通，則邪臣勝；邪臣勝，則主威傷。**

注釋 ①出君下臣：由君主發出旨意，下達到臣子那裏。②竹帛：書簡和絲帛，古代用於書寫的兩種材料。

譯文 由君主發出旨意，下達到臣子的，稱爲「命」；把旨意書寫在竹簡、絲帛上的，稱爲「令」；遵照命令行事，稱爲「政」。「命」有差錯，「令」就不能執行；「令」不能執行，「政」就會有偏差；「政」出現偏差，治國之道就行不通；治國之道行不通，奸邪之臣就會得逞；奸邪之臣得逞，君主的威勢就會受損。

原文 **千里迎賢，其路遠；致不肖，其路近。是以明王捨近而取遠，故能全功尚人①，而下盡力。**

注釋 ①尚人：崇尚賢人。

譯文 到千里之外迎接賢人，路途十分遙遠；招引無德無才之人，路途很近。因此，英明的君主捨棄近路而選擇遠途，這樣才能保全功業，尊崇賢人，臣下也就會盡心盡力了。

原文 **廢一善，則眾善衰；賞一惡，則眾惡歸。善者得其祐①，惡者受其誅，則國安而眾善至。**

注釋 ①祐：通「佑」，保佑，庇佑。

譯文 廢棄一個好人，眾多好人就會離散；獎賞一個惡人，眾多惡人就會前來歸附。好人得到庇佑，惡人得到懲罰，國家才能安定，纔會有更多的好人前來。

原文 **眾疑無定國，眾惑無治民。疑定惑還①，國乃可安。**

注釋 ①疑定惑還：消除疑慮，澄清疑惑。

譯文 民眾對統治者心存疑慮，國家就不會安定；民眾困惑，就難以治理。祇有消除疑慮與困惑，國家纔能安定。

原文 **一令逆①則百令失，一惡施則百惡結。故善施於順民，惡加於凶民，則令行而無怨。使怨治怨②，是謂逆天；使仇治仇，其禍不救。治民使平③，致平以清，則民得其所而天下寧。**

注釋 ①逆：違背常理，倒行逆施。②使怨治怨：用民眾所怨恨的法令來治理心中懷有怨恨的民眾。③治民使平：治理民眾要使其貧富均等。

譯文 一條法令違背常理，眾多法令都會失去效力；一項惡政施行，就會結下許多惡果。所以對於順服的民眾，要施行仁政；對於凶惡的民眾，要施行苛政。使用民眾所怨恨的政令來治理那些心懷怨恨的民眾，就稱爲違背天理；使用民眾所仇視的政令來治理那些心懷仇恨的民眾，國家的禍患將無可救藥。治理民眾，要使他們貧富均等；要實現貧富均等，首先要政治清明。祇有這樣，民眾才能各得其所，從而使天下安寧。

原文 **犯上者尊，貪鄙①者富，雖有聖王，不能致其治；犯上**

者誅，貪鄙者拘②，則化行③而衆惡消。清白之士，不可以爵祿得；節義之士，不可以威刑脅。故明君求賢，必觀其所以而致焉。致清白之士，修其禮；致節義之士，修其道。而後士可致，而名可保。

注釋　①貪鄙：貪婪卑鄙。②拘：受到拘束。③化行：教化得以推行。

譯文　冒犯君主者反而尊貴，貪婪卑鄙者反而富有，這樣，即使有聖明的君王，也無法實現天下大治；冒犯君主者受到嚴懲，貪婪卑鄙者受到約束，這樣，教化就能夠得到推行，衆多惡人就會銷聲匿跡。對於清白之人，不能用爵位、俸祿來招攬；對於有節操的人，不能用威勢、刑罰來威脅。所以明君尋求賢人，一定要先觀察他們的志向，然後纔可以招攬。招攬清白之士，要講究禮節；招攬有節操之士，要講究道義。先做到這些，然後賢士就會到來，君主的名聲就可以保全。

原文　**夫聖人君子①，明盛衰之源，通成敗之端②，審治亂之機，知去就③之節。雖窮不處亡國之位，雖貧不食亂邦之祿。潛名④抱道者，時至而動，則極人臣之位；德合於己，則建殊絕之功⑤。故其道高而名揚於後世。**

注釋　①聖人君子：這裏指才德出衆的人。②端：端倪。③去就：前進與後退。④潛名：隱姓埋名。⑤殊絕之功：卓越不凡的功績。

譯文　那些才德出衆的人，能夠明察世道盛衰的根源，通曉爲政成敗的端倪，審察國家治亂的關鍵，瞭解前進後退的時機。即使窮苦，也不在即將滅亡的國家做官；即使貧困，也不接受混亂之邦的俸祿。隱姓埋名、胸懷治國之道的人，會在時機到來時有所行動，這樣就能位極人臣；遇到德行、志向與自己相同的人，就可以建立卓越的功績。所以，他志向高遠，其美名可以流傳後世。

原文　**聖王之用兵，非樂之也，將以誅暴討亂也。夫以義誅不義，若決江河而溉爝火①，臨不測而擠②欲墮，其克必矣。所以**

優遊③恬淡而不進者，重傷人物也。夫兵者，不祥之器，天道惡之，不得已而用之，是天道也。夫人之在道，若魚之在水，得水而生，失水而死。故君子者常畏懼而不敢失道。

注釋 ①溉爝火：澆滅火苗。溉，澆灌。爝火，微小的火苗。②擠：推。③優遊：悠閑。

譯文 聖明的君王用兵，並不是因爲他好戰，他衹是用戰爭手段來誅殺暴君、討伐叛亂。用正義之舉來討伐不正義的行爲，就好像決開江河以澆滅微小的火苗，就像臨近深不可測的深淵而去推一個搖搖欲墜的人一樣，取勝是必然的。聖明的君王之所以能夠悠然自得而不急於進擊，是因爲擔心過多地傷害人力和物力。戰爭，是不祥之物，爲天道所不容，衹能在不得已的情況下使用，這纔符合天道。人們都生活在天道規律之中，就好像魚生活在水中一樣，有水纔能生存一旦離開水，就會死亡。所以，君子心中時常懷有敬畏，而不敢偏離正道。

原文 **豪傑秉職①，國威乃弱；殺生②在豪傑，國勢乃竭；豪傑低首，國乃可久；殺生在君，國乃可安。四民③用虛，國乃無儲；四民用足，國乃安樂。**

注釋 ①秉職：把持國政。②殺生：指生殺大權。③四民：指士、農、工、商四個階層。

譯文 豪強權臣把持國政，國威就會削弱；生殺大權掌握在權臣手中，國勢就會衰竭；權臣俯首聽命，國運纔能長久；生殺大權掌握在君主手中，國家纔會安定。士、農、工、商用度貧乏，國家就沒有充足的物資儲備；士、農、工、商用度充足，國家纔能安樂。

原文 **賢臣內，則邪臣外①；邪臣內，則賢臣斃②。內外失宜，禍亂傳世。**

注釋 ①賢臣內，則邪臣外：賢臣在朝中掌權，奸邪之臣就會被排斥在外。②斃：死。

譯文 如果賢臣在朝中掌權，那麼奸臣就會被排斥在外；如果奸臣在朝中掌權，那麼賢臣就會被害。內外用人不當，其禍亂就會流傳後世。

【原文】大臣疑主，衆奸集聚。臣當君尊①，上下乃昏；君當臣處，上下失序。

【注釋】①臣當君尊：臣下像君主那樣尊貴。

【譯文】大臣如果懷疑君主，衆多奸人就會乘機聚集在一起。臣下如果像君主那樣尊貴，君臣上下就會昏聵不明；君主如果處於臣下的地位，君臣上下就會失去應有的秩序。

【原文】傷賢者，殃及三世；蔽①賢者，身受其害；嫉賢者，其名不全；進賢者，福流子孫。故君子急於進賢而美名彰焉。

【注釋】①蔽：遮蔽，引申爲埋沒。

【譯文】傷害賢者的人，其災禍會殃及三代；埋沒賢者的人，自身會遭受災禍；嫉妒賢者的人，名聲就不能保全；引薦賢者的人，其福澤會傳給子孫後代。所以，君子急於引薦賢者，其美名也會因此而彰顯。

【原文】利一害百，民去城郭；利一害萬，國乃思散。去一利百，人乃慕澤①；去一利萬，政乃不亂。

【注釋】①慕澤：感慕恩澤。

【譯文】使一人獲利而使損害百人，民衆就會離開城郭；使一人獲利而損害萬人，國內人心就會離散。除掉一人而使百人獲利，人們就會感慕他的恩澤；除掉一人而使萬人獲利，國政就不會混亂。

書香傳家系列叢書簡介

經

《詩經》

「關關雎鳩，在河之洲。窈窕淑女，君子好逑」描繪了人世間最真摯的愛情；「碩鼠碩鼠，無食我黍」表達了對不勞而獲的剝削者最深刻的厭惡；「知我者謂我心憂，不知我者謂我何求」抒發了對國家興亡最深切的憂慮。這些我們耳熟能詳的詩句，都出自《詩經》。《詩經》位居儒家「五經」之列，其文學價值是無需多言的。作爲中國歷史上第一部詩歌總集，它的內容極爲宏大豐富，刻畫了淳樸的風俗，讚揚了英勇的戰士，歌頌了神聖的祖先，記述了真實的歷史。這裏有懇切的批評，又有委婉的諷喻；有樸實的話語，又有華美的辭章；有直率的表達，又有微妙的思緒。孔子說：「不學《詩》，無以言」，這些璀璨的詩句依然是中國人今天抒發情感時無法超越的形式，它們朗朗上口、雋永豐沛。在幾千年後的今天，讓我們依舊能與華夏先民呼吸相聞，感受一種跨越千年的浪漫。「腹有《詩》《書》氣自華」，只有讀了《詩經》，才知道什麼是文明而化。

《周易》

《周易》可以說是中國古老經典中的經典，它據說是周文王姬昌在伏羲八卦基礎上推演而成，後來又經過孔子的修訂，直到現在，已有三千多年的歷史。很多人都認爲《周易》是一部用來占卜算命的書，這確實是它的功能之一，在生產力落後的前科學時代，它相當於一個簡單的搜索引擎，凡有疑難之事，都可以通過《周易》的指引，找到解決的辦法。但是，到了科學昌明的今天，《周易》的義理依然不朽，只是其占卜算命功能已經大大地被弱化。它真正吸引人們的是它對歷史、民俗、文學、哲學、政治、中醫藥學等各個領域的兼容與覆蓋，可以說，《周易》通過陰陽、性象的變化來闡述生命的學問、宇宙的真理、智慧的源泉、社會的規律，用卦爻符號和爻辭，構成了一個神秘的文化殿堂，描述了中華古人對於宇宙奧秘和生命密碼的獨特認識，這也是我們今天讀《周易》的意義所在，它能夠讓我們透過紛繁複雜的表面，直接看透背後的本質。

《論語》

假設孔子讓班長子路建立一個班級群，把曾子、顏淵、子夏、子貢等人都拉進去，大家不但可以在群裏直接討論問題，還可以在彼此的朋友圈互相評論。於是有人選取了聽課中最有用、有趣、有意義的內容，整理成一本書，就叫《論語》。孔子感嘆「沒人瞭解我」，卻告訴學生「別怕沒人瞭解你，只怕自己沒本事」。他的一生是充滿失意和詩意的，他的思想主張不被當世爲政者所接受，但他「一以貫之」「不怨天，不尤人」「下學而上達」，以文化傳承爲使命，開私學之先河，創立了儒家學派。孔子自稱「述而不作」，只講課不創作，他編的六種教科書，主要材料也來自古代文獻，被稱爲「六經」。所以，記錄孔子言行的《論語》，反倒保存了原汁原味的孔子學說。《論語》中的孔子，不是莊嚴的至聖先師，更是一個有喜怒哀樂情感的教書先生。他會誇勤奮、聰明的學生，會罵懶惰、頑固的弟子，高興了會唱歌，傷心了會哭泣。閱讀《論語》，可以從中獲得思想的啟迪、人格的提升、情感的激勵，以及文學的享受，它是每一位中國人的必讀之書。

《孟子》

說起儒家思想，必定繞不開「孔孟之道」。這裏的「孟」，就是被尊爲「亞聖」的孟子。與一般「溫良恭儉讓」的儒生形象不同，孟子留給人們的印象更多是剛毅、自信和執著，這些特質在他和弟子所著的《孟子》中都得到了展現。《孟子》在南宋後被列入「四書」。它讀起來很好玩，因爲里面大部分都是小故事、小對話，而書中孟子的形象也非常鮮明、立體，就像是生活在我們身邊的一位倔強、驕傲而善辯的小老頭。很多時候，他會玩兒一些「套路」，讓談話對象掉入自己事先挖好的「坑」裏，最後逼得對方只能「顧左右而言他」。他還會通過裝病來表達自己的不滿，就像個跟人賭氣的孩子一樣。當然，我們讀《孟子》的意義絕對不止於此，它之所以過了兩千多年仍被奉爲經典，是因爲孟子對「修身、齊家、治國、平天下」進行了透徹的闡述，讓我們在讀過之後能夠擁有強大的內心，能夠有所爲有所不爲，能夠有所捨有所得，這不僅對每個人的生活和工作有著重要的指導意義，對於我們弘揚優秀傳統文化、實現國家的文化自信也大有裨益。

《山海經》

有一種草可以治療抑鬱，有一種魚喫了就不再畏懼打雷，有一種樹見到就不會迷路，有一種獸甚至可以喫掉龍，它們都是什麼呢？這是一部記載了「五方之山」「八方之海」「珍寶奇物」的古代實用地理書。該書刻畫了「鯀禹治水」「女媧造人」「夸父逐日」等神話故事，也有對於顓頊和黃帝的很多記述，被稱爲「古之語怪之祖」。在魯迅筆下，這是阿長心心念念要送他的禮物，其中包含上古時期的地理、歷史、神話、天文、動物、植物、醫學、宗教以及人類學、民族學、海洋學和科技史等知識。在紀曉嵐編纂的《四庫全書總目提要》中，它是地理書的首要，還被稱爲最古的小説。它甚至是一些誌怪和盜墓小説中怪事、怪物的總來源、總發端，「紅毛犼」「錦鱗蚺」甚至「痋術」等，已經是年輕人熟悉的神獸。這就是《山海經》，一部誕生於遠古時期、極富想象力的驚世駭俗之作。它的奇詭玄妙，使今天的年輕人腦洞大開，啟發人們體悟天、地、人、神、獸、怪的無窮奧秘。讀《山海經》，去探尋遠古時期影響思想觀念的洪荒之力，去求索華夏五千年文明的初心與神秘。

《史記精華》

《留侯世家》記載，破落貴族張良偶遇圯橋老人，得到《太公兵法》，學成後輔佐劉邦，「爲王者師」。他與衆將談論《太公兵法》，沒人聽得懂；劉邦聽了，卻能善用其策。張良説：「大概沛公是上天授命之人啊！」《史記》既是史書，又是一部政論集。政論家寫文章大多引經據典，司馬遷著《史記》是用更完備的史料論證自己的觀點。所以説司馬遷的偉大，不只是記載了黃帝至漢初的歷史，而是在於他「究天人之際，通古今之變，成一家之言」。這「一家之言」，説的就是他的人生觀、歷史觀、宇宙觀。他信命而不認命，自強不息，具有悲天憫人的情懷。所以他借「圯橋進履」的傳説，證明劉邦是真命天子，卻又敢於對劉邦等得天命者犯下的錯誤提出批評，對懷才不遇、蒙受冤屈的人則報以同情。《史記》全書一百三十篇，五十二萬餘字，《史記精華》從中擷萃名篇，既不辜負太史公的良苦用心，又能讓今人獲得輕鬆愉悦的閱讀體驗，從歷史的興亡中體悟天道與人事，品味「無韻之離騷」。

《資治通鑑精華》

孟子說：「孔子成《春秋》而亂臣賊子懼。」《春秋》大義，被歷代史家奉爲法則。唐末五代，藩鎮割據，天下大亂，人心不安。在那個兵強馬壯者就能當皇帝的時代，誰會在乎倫理與秩序？整個社會都迷失了方向。北宋建立後，結束了國家分裂的局面，人心思定，所以史家想要借《春秋》大義重建社會價值體系。先有歐陽修的《新五代史》，後有司馬光的《資治通鑑》。一部《資治通鑑》，二百九十四卷，三百多萬字，以編年體的形式展現了戰國至五代時期一千三百餘年的歷史。若你無暇通讀全書，又想有所涉獵，卻無從下手，《資治通鑑精華》就是爲你指點迷津、得以一窺這部史學巨著之端倪的捷徑。因爲本書所選篇目緊扣原典的主旨，以治亂興衰爲借鑒，以大義名分爲原則，涵蓋了歷代的主要大事件。在這個日新月異、信息爆炸的變革時代，你有沒有迷失方向？不妨嘗試從歷史中探尋安身立命之道。閱讀本書，上可以參悟人生、明白得失，中可以洞悉人心、增長閱歷，下可以充實學識、增加談資。

子

《六韜・三略》

很多人一提起「兵法」，首先想到的往往是《孫子兵法》《三十六計》，卻不知道《六韜・三略》絲毫不遜於前兩者。嚴格說來，《六韜》《三略》是兩本書。《六韜》作者是被譽爲「兵家之祖」的呂尚，也就是大名鼎鼎的姜子牙。《三略》的作者則是「張良拾履」故事裏的那位神秘老人黃石公。自古以來，《六韜・三略》就被譽爲「兵家權謀之祖」，姜子牙靠它輔佐武王興周滅紂，張良靠它幫助劉邦定咸陽、滅項羽，建立西漢王朝。有人說《六韜・三略》這樣的兵法只適合在古代使用，這是大錯特錯的。因爲即使到了今天，也仍然有很多企業管理者把《六韜・三略》奉爲經典，並將它用於商業競爭、企業管理。雖然這是一本兵書，但它卻可以讓人擁有細緻的邏輯思維能力，學會如何從全局進行運籌和謀劃，學會如何鑒別和使用人才。就算是普通人，也可以在讀通《六韜・三略》之後，在自己的生活和工作中找準方向，實現最大的價值。

《孫子兵法》

在中外歷史上，有多少戰績輝煌的名將，隨著時間的推移，全都逐漸被遺忘了，但被稱爲「東方兵學鼻祖」的孫子以及他的《孫子兵法》，不僅沒有被忘卻，反而越發引起了人們的重視和崇敬。

《孫子兵法》自誕生至今已有兩千多年，在古代，它被廣泛地應用於戰爭，包括戰略戰術的制定、情報的搜集、戰區的選擇、攻防的轉換、作戰時機的選擇等；到了以「和平」爲主旋律的今天，全世界範圍內，《孫子兵法》也產生了極爲重要和廣泛的影響。除了繼續在軍事、政治、外交等方面發揮重要作用和影響之外，《孫子兵法》還廣泛用於經濟、教育、商業、體育等各個領域，哈佛大學商學院甚至要求學生記誦《孫子兵法》的某些章節，以備日後經商之用。對我們普通人而言，通過《孫子兵法》來瞭解孫子的軍事思想，然後將其靈活轉化、應用，也足以給我們的學習、工作、生活帶來巨大的幫助。

《道德經》

春秋末年，天下戰爭頻仍，周朝守藏室之史老子棄官歸隱，騎青牛來到函谷關。守關令尹喜求其寫下五千言，隨後西行，不知所終。《道德經》含有深刻的東方哲學思想，至今仍是人們認知宇宙與人生的經典，也被稱爲「玄而又玄」的學問。老子並非首倡尋找萬物總規律的人，伏羲氏就認爲宇宙的一切總有一個根源，他沒有辦法用文字來說明，所以一畫開天，叫做「象」。那麼，把握規律就稱爲「執象」。由於執象依然有迷茫，於是才有老子破象而立道。但是，「道」究竟是什麼？老子說：「道可道，非常道。」他認爲只有「致虛極，守靜篤」，「清靜無爲」才能顛覆性地掌握變化中的規律。現在人類的物質文明已獲得了高度發展，但是人類並沒有獲得幸福感，人類執迷於「有」，一再忽視老子的提醒「有生於無」。《道德經》於今人依然是最爲實用的經典，它可以重新梳理外在所有因素的趨勢，可以重新建立整體行動的框架，可以從身體的修真來鏈接萬物，由此來突圍今天人類的多重困境。

《鬼谷子》

他隱於世外，卻操縱天下格局；他的弟子出將入相，左右著列國的存亡，推動著歷史的走向。這個人因此被尊為「謀聖」，他就是鬼谷子。鬼谷子其人，神秘莫測，關於他的身世，眾說紛紜。相傳他隱居在雲夢山鬼谷，所以自稱鬼谷先生。他門下弟子孫臏、龐涓，都是用兵打仗的能手；另外兩個弟子蘇秦、張儀，憑三寸之舌推行合縱連橫之術，收到的奇效抵得上千軍萬馬。這樣的奇人留下了一本奇書——《鬼谷子》。該書原文只有五千多字，卻是縱橫家流傳至今為數不多的代表著作之一，論述縱橫捭闔的秘訣。比如其中「欲取先予」的處世哲學，擴散開來就包含了很多個維度：從戰場上臨強示弱、扮豬喫老虎，到營銷上滿減贈送的優惠項目，再到投資領域的賭徒心理，都跟這四個字分不開。如果只是把《鬼谷子》當成運用謀略、揣摩人心的教科書，就低估了其價值。書中還包括軍事、政治方面的知識，甚至還有養生的學問。《鬼谷子》包羅萬象，是先秦諸子學中的一顆璀璨明星。

《莊子》

莊子貌似窮困潦倒，但是他卻因精神超拔而名聲在外。楚威王曾派人來聘請他做官，只見他正坐在河邊悠然垂釣。莊子指著水裏搖著尾巴游泳的烏龜，對使者說：「與其做一隻宰殺後被供奉起來的神龜，不如像它一樣自由自在。」莊子是戰國時期道家學派的代表人物，繼承了老子「無為」的哲學思想，並且在宇宙觀、社會德用和養生氣論上均有推進。他所認為的自由，是無所憑依的，是順其自然的。正如鯤鵬變化，扶搖直上九萬里，這才是逍遙的現象。莊子又借小蟲、小鳥之口嘲笑大鵬，諷刺了淺陋之人難以領悟大道的真諦。然而大鵬畢竟要御風而行，相比之下，無所憑依才是絕對自由的。在別人眼中，窮困潦倒是苦，莊子卻以不受名利的牽累為樂。如果我們在工作和生活中遇到了一時過不去的坎兒，不妨用《莊子》化解內心的困頓與焦慮，用「忘我」乃至「無我」的大智慧，用遨遊天際的視野，面對現實的世界。

《世說新語》

年輕人必定向往「惟大英雄能本色，是眞名士自風流」的生活，所以他們必定不會錯過一本被魯迅先生稱爲「名士教科書」，被今人叫作「名人酷生活實錄」的精選集。這本書記載了東漢末年到魏晉期間一批名士的言行。何爲名士？泛指知名人士，特指恃才自傲、不拘小節的牛人。因爲學者們的集體喜愛，它被推薦給國家教育管理機構，進入了中小學生的必讀書目名單。它就是《世說新語》。

沉浸書中，我們將置身於一個比現在更重視「顏值」的時代，領略魏晉名士們如何「一生不羈放縱愛自由」；嵇康、阮籍、劉伶們敏捷的才思、優雅的舉止、曠達的胸懷，甚至種種狂放怪異的言行，無不彰顯著自然率真的性情，彰顯著處於青年時代的中華文明那昂揚湧動著的生命力。我們可以品味到它的語言之美、生活之美、哲思之美，更能夠從中找尋到自己內心未被喚醒的詩意與對現實的超越。

《千字文》

《千字文》是一篇奇文，其問世充滿了傳奇色彩。梁武帝喜歡王羲之的書法，就命人從王羲之的眞跡中找出一千個不同的字來教子孫識字、練字，卻因雜亂難記，而沒有取得太好的效果。于是梁武帝找來員外散騎侍郎周興嗣，讓他將這些字編成一篇通俗易懂的文章。周興嗣花了一整夜時間，編撰出一篇條理清晰、引經據典的韻文，不但文采超然，而且上至天文，下及地理，將各種知識熔爲一爐，實爲一部生動的小百科全書。周興嗣也因用腦過度，導致一夜之間鬚髮皆白。由於漢字簡化、異體字合並，所以現在《千字文》已經不是一千個不同的漢字了。儘管如此，也無損其文采。作爲傳統啟蒙讀物，《千字文》的影響力延續至今。胡適從五歲開始念「天地玄黃，宇宙洪荒」，直到他當了十年教授，還在回味這兩句話，可見《千字文》義理之妙。我們可以從中感悟中國古老的宇宙觀，體會古人修身的規範和原則，讚歎燦爛的歷史文明，在恬淡的心境中安然自處。

《百家姓》

說起姓氏，人們熟悉的是成書於北宋初年的《百家姓》，它是我國流行時間最長、應用範圍最廣的蒙學教材之一，與《三字經》《千字文》並稱爲「三百千」。雖然《百家姓》的内容沒有文理，但讀起來朗朗上口，易學易記，可以讓孩子認識漢字，也可以指導孩子們的日常生活，建立好的生活習慣。慎終追遠，姓氏可以讓孩子們瞭解祖先的血脈延續，積累和傳承家族文化。從遺傳基因學上形成華夏民族的血脈相連與共同認知。光宗耀祖，詩書繼世，是中國農耕社會的優良傳統。姓氏文化在中國五千年多年的文明史中擔當重任，戰國時期的《世本》，較早地記載了從黃帝到春秋時期天子、諸侯、大夫的姓氏、世系、居邑，但是這本書到宋朝就失傳了。總之，要想瞭解中國源遠流長的姓氏文化，《百家姓》是一本必備的簡易入門書籍。「書香傳家」系列的《百家姓》，不但介紹了每個姓氏的由來，還列舉了各個姓氏的名人，兼具知識性與趣味性。

《容齋隨筆》

上過學的人都知道筆記的重要性，然而老師講的課是一樣的，學生的筆記卻各不相同。現在學霸的筆記備受推崇，因爲展現了他們卓越的學習方法和對知識的思考。古代文人記筆記的習慣由來已久，魏晉南北朝就有常璩的《華陽國志》、干寶的《搜神記》、劉義慶的《世説新語》等名作，這些筆記小説大多是見聞隨筆，或從書中摘錄片段的合集。唐宋以後，歷史掌故、辯證考據類的筆記多了起來。《容齋隨筆》爲南宋大才子洪邁（號容齋）耗時四十年整理而成，一共分爲五部分，有七十四卷，含一千二百多則，歷史掌故、典章制度、社會風俗、天文曆算、文學藝術，無不涵蓋，特別是歷史人物、歷史事件相關的内容，考證十分詳實，議論頗有見地，還糾正了不少經史中的錯誤，是宋人筆記中内容最豐富、學術價值最高的一部。《容齋隨筆》是一本國學百科全書，當成學霸的筆記來讀也未嘗不可，一方面可以增長見聞，一方面可以領悟讀書的方法，並以此爲博覽經史原典的敲門磚。據史料記載，偉人毛澤東生前非常喜愛閱讀此書，直至離世前仍由工作人員爲其閱讀該書部分内容。

《三字經》

在中國傳統的啟蒙書籍中，《三字經》必然是最經典的一部，幾乎人人都熟悉開頭那兩句——人之初，性本善。這三字一句的形式，很具備兒歌的特點，易於誦讀和記憶。《三字經》雖短卻精，且內容十分豐富，將歷史、天文、地理、道德等方面的知識和大量典故融匯串連在一起，堪稱是一部極簡版的中國文化「小百科全書」，因此有「熟讀《三字經》，可知千古事」的說法。《三字經》從誕生之日起就大受歡迎，廣爲流傳，與《百家姓》《千字文》並稱中國傳統蒙學三大讀物。讀《三字經》可以發現，書中不但歸納總結了許多古代的文化常識，還告訴人們應當勤學好問、尊師重道、謙恭禮讓等人生的道理，體現了積極向上的精神，雖已暢行千百年，卻歷久彌新，在當今時代仍然具備知識性和實用性的國學入門的作用，可以給人們以簡易的知識和正向的力量。

《傳習錄》

曾有人給出過這樣的評價，中華上下五千年，能「立德、立功、立言」三不朽的聖人，只有兩個半：孔子、王陽明，另外半個是曾國藩。孔子，至聖先師，無人不知；曾國藩，湘軍首領，清中興名臣。而王陽明，最讓人熟悉的莫過於「知行合一」「心外無物」的「陽明心學」了。想要瞭解孔子，可以讀《論語》；想要瞭解曾國藩，可以讀《曾國藩家書》；想要瞭解王陽明，自然要讀《傳習錄》。《傳習錄》之名取自《論語》中曾子的話：「吾日三省吾身，爲人謀而不忠乎？與朋友交而不信乎？傳不習乎？」由此可見，想要讀懂《傳習錄》，需要具備一定的儒學經典的基礎。作爲儒家作品，《傳習錄》的核心自然也是明德至善，知行一體。而王陽明所提出的「知行合一」重在強調知善的同時要行動，即理論與實際的踐行。因此，讀《傳習錄》，能夠得到的最大收穫就是在日常的工作生活裏，摒棄外界的干擾，修養自己的良知，做到問心無愧，持之以恒。曾經做過三家世界五百強CEO的日本企業家稻盛和夫，就將陽明心學內化爲企業經營之道。

《了凡四訓》

命運是一個很神奇的東西。有的人認爲「命由天定」，但也有人堅信「我命由我不由天」。明朝學者袁了凡十七歲時因爲一位算命先生的話而深陷「宿命論」，直到三十七歲時在雲谷禪師的開導下醍醐灌頂、頓悟至理，確定了「命由我作，福自己求」的立命之道，此後數十年，袁了凡堅持行善、積極進取，最終「逆天改命」。本着「父母之愛子，則爲之計深遠」的舐犢之情，晚年的袁了凡有感於自己一生的經歷，給兒子寫下了《了凡四訓》，全書通過立命之學、改過之法、積善之方、謙德之效四個部分，講述了如何依靠後天努力來「修福改命」。晚清名臣曾國藩對《了凡四訓》極爲推崇，他讀過之後給自己改號爲「滌生」，並說：「滌者，取滌其舊染之污也；生者，取明袁了凡之言，『從前種種，譬如昨日死；從後種種，譬如今日生也。』」讀《了凡四訓》，讓你領悟命運真相、明辨善惡標準，擁有人生智慧。

《紅樓夢圖詠》

讀過《紅樓夢》的人，一定都會被書中那些性格鮮明、栩栩如生的人物所打動，甚至對他們傾注或愛或憎的情感，大有恨不相識的遺憾。或許你會想，這些人物應該是怎樣的形象，比如什麼是「似蹙非蹙罥煙眉」，怎樣算「似喜非喜含情目」，「唇不點而紅，眉不畫而翠」會是什麼樣的美。那麼，有沒有人根據原著的描寫，捕捉人物的特點從而描繪出他們具體的形象呢？當然，爲《紅樓夢》創作的繪畫作品其實有很多，其中的《紅樓夢圖詠》是紅樓繪畫史上水平較高、名氣也較大的一部。這是一部木版畫集，共繪製了通靈寶玉、絳珠仙草、警幻仙子、寶玉、黛玉、寶釵、元春、探春、湘雲、妙玉、王熙鳳等共約五十幅插圖，以高超的版畫技藝，展現出畫作者改琦作品的神韻，所繪形象傳神，線條流暢。如其中黛玉一幅，便以弱不禁風的身姿，刻畫出人物「閑靜時如姣花照水，行動處似弱柳扶風」的氣質。

《芥子園畫譜精品集》

顧愷之、吴道子、張擇端、唐伯虎、齊白石等畫壇巨匠，留下了大量傳世名作。他們無不技藝精湛，卻也都是從零基礎開始學習的。如果有一套人人都能看懂的簡明教程，國畫技藝就會更容易讓普通人掌握。比如齊白石大師，原本是雕花木匠，二十歲那年在僱主家無意間看到一本叫《芥子園畫譜》的書，覺得書中循序漸進的講解非常實用，讀過一遍就對繪畫有了一定的理解。所以，即使說白石老人的繪畫藝術之路起步於此書，也並不爲過。此外，任伯年、黃賓虹、傅抱石等繪畫大家也曾用心研習此書。「芥子園」是清初名士李漁（號笠翁）在金陵的別墅，《芥子園畫譜》最初就是在李漁的主持下，由王概、王著、王臬三兄弟編繪而成。本書具有完備的體例，對用筆、寫形、佈局等繪畫的基礎技法做了詳盡的講解和展示，解析了歷代名家的特點，匯集了前人的畫論精華，從問世至今，一直是學習國畫的必修教材。

《中國京劇經典臉譜》

「臉譜化」這個詞，現在一般用來批評藝術作品塑造人物簡單化和概念化。然而與此相反，這恰是「臉譜」這一藝術形式的優點，使其能夠貼合傳統戲曲的表現方式。臉譜是中國戲曲中特有的化妝藝術形式，通過按照一定譜式勾畫出的圖案造型來突出角色的性格、身份、年齡、品質等特徵，已形成一些相對固定的代表性顏色，如紅色的代表忠勇、正直；黑色的代表勇猛、直爽；白色的代表奸詐、狠毒；藍色的代表剛強，驍勇；黃色的代表凶暴、沉著，這與歌曲《說唱臉譜》的詞很一致：「藍臉的竇爾敦盜御馬，紅臉的關公戰長沙，黃臉的典韋，白臉的曹操，黑臉的張飛叫喳喳……」因此，臉譜具有「辨忠奸、寓褒貶、別善惡」的功能。《中國京劇經典臉譜》一書收錄的臉譜作品，是在漫長的歲月中逐漸演變、完善進而固定的藝術形象，每一幅都構圖精巧，色彩絢麗，筆法細膩，是不可多得的藝術珍品。

創作者孫世良先生是中國著名京劇劇作家、京劇臉譜藝術家翁偶虹先生的再傳弟子，北京市非物質文化遺產傳承人，就職於國家京劇院藝術中心，為專業京劇臉譜畫家。

集

《楚辭》

《楚辭》的語言文字可以美到什麼程度？光是書中「茂行」「陸離」「微歌」「嘉月」這類典雅的人名，就足已令人驚豔了。《楚辭》的夢幻世界可以有多浪漫？有青衣白裳、箭指西北的東君，他是掌管太陽的神；還有與日月齊光的雲中君，他是飄渺的雲神。眾神都有人的情感，或泛舟江上，或歡聚宴飲，或幽怨哀傷。楚辭的產生，離不開楚國從「荊蠻」發展到「楚霸」的歷史條件，長江流域的巫覡文化，與中原地區的禮樂文化相交融，就有了生機勃勃的楚文化。《楚辭》是中國文學史上第一部浪漫主義的詩歌總集，獨創一體，別具一格。全書以屈原的辭賦爲主，其餘各篇承襲了屈原作品形式，運用了楚地的文學樣式、方言聲韻，故名《楚辭》。梁啟超說：「吾以爲凡爲中國人者，須獲有欣賞《楚辭》之能力，乃爲不虛生此國。」《楚辭》展現了以屈原爲代表的愛國精神、豪邁氣魄和浪漫情懷。因此，熟讀《楚辭》，能培養書生狹氣，能讓我們一生受益。

《唐詩三百首》

璀璨大唐三百年，最具代表性的事物是什麼？是天可汗唐太宗李世民？是中華文明的巔峰開元盛世？還是一代女皇武則天？都不是，最能代表璀璨大唐的事物就是唐詩。在唐詩中你能感受到大唐盛世兼容並包的絕代風華，那裏有王勃從容浩蕩的英氣，有李白綉口吐出的巍峨之氣，有李賀苦吟的不羈之氣。在唐詩中你能領略到大唐的厚重，大唐的筋骨，那裏有杜甫的低沉恢弘之氣，有樂天自在的千百鮮明之氣，有邊塞狂歌的狷狂凜冽之氣。聞一多先生認爲：「一般人愛說唐詩，我卻要講『詩唐』，『詩唐』者，詩的唐朝也，懂得了詩的唐朝，才能欣賞唐朝的詩。」在唐詩中感受大唐，以詩教來熏習和浸染，觸摸到文化的江山，讓胸懷變得更寬廣、更博大。不讀唐詩，無法面對優秀的古人，不知道東方情感之由來，亦不能精準表達自己的情感。

《宋詞三百首》

形成於唐，盛極於宋，前與唐詩爭奇，後與元曲鬥艷，是宋代文學最有代表性的成就，這種文體就是「宋詞」。可以說，有一定文化基礎的中國人都知道宋詞，也都可以不經意間脫口而出一二佳篇名句。如充滿豪情時，可以說「想當年，金戈鐵馬，氣吞萬里如虎」；心懷憂愁時，可以說「這次第，怎一個愁字了得」；陷入相思時，可以說「酒入愁腸，化作相思淚」。似乎每一種情緒，在宋詞中都已經有了完美的表達。如何更好地領略宋詞的精彩？《全宋詞》中收錄了一千三百餘位詞人約兩萬首作品。顯然，通讀這麼多的作品並不現實，那麼優秀的選本便會大受歡迎。《宋詞三百首》就是這樣的選本。三百首不多，可以很快通讀；三百首不少，可以兼收各個時期、各個派別的衆多名家名作。這本《宋詞三百首》，囊括宋詞精華，讀後可以感悟宋詞之美，並初步瞭解宋詞的概況；所選皆爲名篇，便於背誦，有助於古典文學修養的提高，使自己不論言談還是寫作都更有氣質。

《唐宋八大家集》

提起「唐宋八大家」，很多人會問：「爲什麼沒有李白、杜甫、白居易？爲什麼沒有柳永、陸游、辛棄疾？」因爲這八個人代表了唐宋時期散文的最高水準，而非詩詞。我們都知道，唐朝是詩歌的黃金年代，而沒有體裁和題材方面的創新，就不會湧現出那麼多不朽的傑作。白居易提出「文章合爲時而著，歌詩合爲事而作」的口號，倡導「新樂府運動」。與之相呼應的正是韓愈、柳宗元倡導的「古文運動」，他們同樣強調寫文章要言之有物。「言之有物」看似容易，我們上學時，語文老師講作文的時候就一再強調這一點，可是文筆不好就詞不達意，文筆太好又總是變著法地運用修辭、引用典故、堆砌辭藻，顧此失彼，文章難免會「金玉其外，敗絮其中」。「唐宋八大家」的文章，推崇先秦諸子和《史記》《漢書》，一掃六朝辭賦的艷俗與空洞，衝破四六駢偶的程式和窠臼，文章形式雖然復古，但是内容推陳出新，很接地氣，是老百姓讀得懂的古文，完美展現了中華文化的「文質彬彬」。這八位文曲星就是：韓愈、柳宗元、歐陽修、王安石、蘇洵、蘇軾、蘇轍、曾鞏，他們都有驚天地、泣鬼神的千古文章傳世。

《小窗幽記》

互聯時代來臨，世人莫不在加快節奏追逐社會步伐，關於生活的本真、人生的目的，反倒難以顧及。有一部書，用雋永的文思、淡雅的文字，指引你爲人處世，開導你在平淡中領略人生，它就是《小窗幽記》。「花繁柳密處，撥得開，才是手段；風狂雨急時，立得定，方見腳根」，這是勸誡成功者的良藥；「情最難久，故多情人必至寡情。性自有常，故任性人終不失性」，這是冷靜處事的心思。「興來醉倒落花前，天地即爲衾枕；機息忘懷磐石上，古今盡屬蜉蝣」，這是過來人燈火闌珊處的回眸。明代陳繼儒以其豐富的經歷、遠博的思想、高峻的修養撰得《小窗幽記》這部奇書，將修身、立德、爲學、致仕、立業、治家、養生的全部智慧和原則融入此書，文字跳脫愜意，格調超拔，以小喻大，充滿了諧趣與真知。面對人生，作者給出的答案還將久久的流傳下去，那就是「時光，濃淡相宜；人心，遠近相安；流年，長短皆逝；浮生，往來皆客。」

《納蘭詞》

他是文武俱佳的翩翩公子，他是康熙皇帝御下一等侍衛，他是才華橫溢的傷心詞人。他，就是「清詞三大家」之一的納蘭性德。納蘭十七歲入國子監，十八歲考中舉人，二十二歲得康熙賜進士出身。深受康熙帝賞識，多隨駕出巡。三十一歲英年早逝。納蘭性德二十四歲時將詞作編選成集，名爲《側帽集》，又著《飲水詞》。後人將兩部詞集增遺補缺，共三百四十九首，合爲《納蘭詞》。「今古河山無定據。畫角聲中，牧馬頻來去」是對山河流逝的慨嘆；「山一程，水一程，身向榆關那畔行，夜深千帳燈」是長途行軍中軍士的苦悶；「被酒莫驚春睡重，賭書消得潑茶香，當時只道是尋常」是回憶與亡妻昔日美好的酸楚；「西風多少恨，吹不散眉彎」展現的是深情男子的無盡哀思。

儘管清詞成就比不上宋詞，但也在文學史上留下了自己獨特的印記。清詞代表《納蘭詞》，不僅在清代詞壇享有很高的聲譽，而且在中國文學史上也佔有光彩奪目的一席。翻開《納蘭詞》，走近這位傳奇男子的一生，去體味，去發現，清詞怎一個「真」字了得？

《曾國藩家書》

有學者說：「五百年來，能把學問在事業上表現出來的，只有兩人：一爲明朝的王守仁，一則清朝的曾國藩。」曾國藩作爲集政治家、戰略家、理學家、文學家、書法家等於一身的晚清名臣，因官居高位而無暇著書立說。不過，他寫給家人的大量家書，就成爲瞭解曾國藩的第一手資料，同時也是瞭解清末社會狀況的寶貴史料。家書，即家人之間來往的書信。在古代，家書是離家在外的人與家中親人的主要聯繫方式之一。家書可簡可繁，可以只表達思念及關切之情，也可以暢敘經歷及感觸，通常都很真實，沒有虛假客套。《曾國藩家書》中收錄了曾國藩寫給祖父、父母、叔父、兄弟、子女等不同人的書信，其政治理念、治軍思想、治學修身、治家教子、處世交友等也都在其中得到了充分的體現。這些內容使這部《曾國藩家書》除了具備史料價值，還是一部生活處世的實用寶典，對我們的日常生活也有可資借鑒的意義和價值。

《人間詞話》

「最是人間留不住，朱顏辭鏡花辭樹。」作爲民國時期最爲著名的國學大師之一，能夠寫出這樣優美的詞句，對王國維來説實在不算稀奇；相較於他的詞作，《人間詞話》才是眞正讓他在廣大文藝青年心中「封神」的傑作。就算是沒有看過《人間詞話》的人，也能隨口説出「古今之成大事業、大學問者，必經過三種之境界」。作爲中國文藝理論里程碑式的作品，《人間詞話》首次將西方美學思想融入到中國古典詩詞的點評中，你能想象，這樣一本薄薄的小冊子竟然蘊含著康德、叔本華的整套美學體系？更爲重要的是，在這本書中，王國維融會貫通，提出並建立了獨特的文藝理論體系，並成功勾起了廣大文藝愛好者們對於古典詩詞的興趣，很多人就是從這本書開始，成爲文學家、學者和文藝批評家的。如果你也對古典文學特別是古典詩詞感興趣，那麼一定要讀一讀這本《人間詞話》。

圖書在版編目（CIP）數據

六韜・三略 /（西周）太公望，（漢）黄石公著 ；崇賢書院釋譯. —— 北京 ：北京聯合出版公司，2015.8（2022.7重印）
（書香傳家 / 李克主編）
ISBN 978-7-5502-5743-6

Ⅰ. ①六… Ⅱ. ①太… ②黄… ③崇… Ⅲ. ①兵法－中國－古代 Ⅳ. ①E892.2

中國版本圖書館CIP數據核字(2015)第164690號

ISBN 978-7-5502-5743-6

崇賢館微信

抖音掃一掃
免費聽國學經典

書名　六韜・三略
著作者　（西周）太公望　（漢）黄石公　著
崇賢書院　釋譯
出品人　趙紅仕
責任編輯　李　徵
出版發行　北京聯合出版公司
地址　北京市西城區德外大街83號樓9層
郵編：100088
策劃經銷　近道堂
印刷　吴橋金鼎古籍印刷廠
字數　一百二十千字
開本　宣紙八開
印張　二十
版次　二〇一五年八月第一版
二〇二二年七月第五次印刷
標準書號　ISBN 978-7-5502-5743-6
定價　肆佰捌拾圓整（一函兩册）